So sind die Tage noch ein Warten

Gedichte

Klaus-Dieter Boehm, Evelyn Clark,
Felix Martin Gutermuth u.v.a.

Dorante Edition

Wagemut geht der Handlung voran, Glück krönt ihr Gelingen

Demokrit

So sind die Tage noch ein Warten

Gedichte

Klaus-Dieter Boehm, Evelyn Clark,
Felix Martin Gutermuth u.v.a.

Bibliografische Information durch die Deutsche Nationalbibliothek: Die Deutsche Nationalbibliothek verzeichnet diese Publikation in der Deutschen Nationalbibliografie; detaillierte bibliografische
Daten sind im Internet über http://dnb.d-nb.de abrufbar.

herausgegeben durch das Literaturpodium, Dorante Edition
Berlin 2018, www.literaturpodium.de
ISBN: 9783752860436

Fotos auf der Vorderseite:
Marko Ferst, Gärten der Welt, Berlin-Marzahn

Druck und Herstellung: BoD – Books on Demand, Norderstedt

Ramona Stolle

Weißt du

Weißt du, wie der Winter schmeckt
Der das Leben kalt verdeckt
Der die Flocken tanzen lässt
Wie auf einem Walzerfest

Hörst du, wie der Nordwind lacht
Wenn er Purzelbäume macht
Und dabei die Dämme bricht
Grenzen gibt es für ihn nicht

Spürst du, wie der Frost dich küsst
Kälte ist ihm ein Gelüst
Das er mit Elan verbreitet
Und in alle Winkel leitet

Siehst du, was im Schnee geschieht
Wie das Grün sich krümmt und biegt
Fängt sich einen Sonnenstrahl
Und gedeiht in großer Zahl

Riechst du, wie die Düfte fliegen
Sich ganz zart auf Blüten wiegen
Eis und Frost sind fortgegangen
Frühling hat nun angefangen

Ramona Stolle

Das Leben

Wieder ruft ein Kinderleben
Nach Gehör und frohem Streben
Möchte wachsen, spielen, lachen
Mit den Freunden Unsinn machen

Denn Kinder möchten Kinder sein
Und Lernen, leben, glücklich sein
Fehler machen und auch fallen
Aufstehen, geschützt von allen

Jedoch das Schicksal dreht nur stumm
An deren Lebensuhr herum
Und es tauscht die vielen Zahlen
Gegen Kummer, Leid und Qualen

Und eins und zwei und drei und vier
Tränen bringt dieses Leben dir
Fünf und sechs und sieben und acht
Bomben fallen in dieser Nacht

Von neun bis weit nach Mitternacht
Ist voller Angst ein Kind erwacht
Schicksal spürt, es muss sich wenden
Diesen Wahnsinn schnell beenden

Ramona Stolle

Herbst

Herbststürme ziehen durch das Land
Vom höchsten Berg zur Waterkant
Sie spielen mit den Lebensträumen
Und lassen lustvoll Herzen schäumen

Sie toben wild am Meeresstrand
Und rauschen über‘s flache Land
Auf ihrem Weg gibt es kein Halten
Kein Zaum bremst die Naturgewalten

Kühn treffen sie sich dann zum Feste
Und jeder Sturm gibt kühl das Beste
Dann gibt‘s für Mensch und Tier kein ruh‘n
Denn starke Kräfte spielen nun

Es ist ein letztes Aufbegehren
Ein Letztes sich nach Jugend zehren
Bevor mit preschender Gewalt
Der Sturm als Wind im Nichts verhallt

Ramona Stolle

Lebensband

Ganz still sah ich die beiden gehen
am weißen Meeresstrand
Der Mann konnte sie stumm verstehen
und griff nach ihrer Hand

Sie schüttelte ihr graues Haar
und atmete tief ein
Sie schien mit sich ganz wunderbar
im Gleichgewicht zu sein

So liefen sie im selben Takt
voll sanfter Harmonie
Die Zweisamkeit glich einem Pakt
der Jahr für Jahr gedieh

Dies Lebensband berührte mich
wie eine liebe Hand
die über meine Seele strich
bis ich mich wiederfand

Ramona Stolle

Wenn du mich lässt

Ich hätt dir gern ein Bett gebaut
aus frisch gemähtem Heu
das hätt ich reichlich dekoriert
mit Klee und Männertreu

Ich hätt die Decke angemalt
grad wie ein Sternenzelt
und hätt als süßes Schlummermahl
ein Canapé bestellt

Mit Lampions und mit Kerzenschein
hätt ich dich still bewacht
bis in der Früh der Sonnenschein
auf deinem Antlitz lacht

Ich hätt dich heut gern wachgeküsst
mit Himbeereis und Sekt
mit Schokocreme und Rock'n'Roll
hätt ich dich sanft geweckt

Ich hätt dir dann die Welt gezeigt
als wäre sie ein Fest
das alles hätt ich gern getan
wenn du mich eben lässt

Ramona Stolle

Träume

Ich hab alles aufgeschrieben
auf ein weißes Blatt Papier
Kinderträume sind geblieben
und jetzt gebe ich sie dir

Du bewertest nicht die Worte
und du lachst mich auch nicht aus
Trägst sie stumm an fremde Orte
in die weite Welt hinaus

Hoffnung lebt in jeder Zeile
die nun auf die Reise geht
Und ich schau noch eine Weile
wie der Wind die Richtung dreht

Bist am Horizont verschwunden
Kompass dreht auf Nord-Nordost
Fühl mich eng mit dir verbunden
Träume in der Flaschenpost

Samira Schogofa

Deutschland 2017

Uns‘re Welt hat welke Blätter.
Wehmut wabbert und wird fetter.
Keine Erntezeit in Sicht.
Zeit der Früchte wird es nicht.
Maden schlüpfen ungestört.
Darüber ist man sehr empört.
Was soll‘n wir tun mit all den Maden,
die uns‘er teu‘ren Freiheit schaden?
Wir lassen lautlos sie gewähren.
Sie werd‘n sich gütlich in uns nähren.

Samira Schogofa

Glaubst du?

Glaubst du, die Toten reden nicht?
Sie sprechen nicht von Zuversicht.
Sie trauern um den Augenblick,
der plötzlich wurde ihr Geschick.
„Zur falschen Zeit am falschen Ort“.
„Es war ein äußerst feiger Mord“.
Und während ich so still da lieg,
denk‘ ich: wir sind ein Land im Krieg.

Samira Schogofa

Jenseits der Angst

Jenseits der Angst will ich die Welt ergründen.
Jenseits der Angst verfallen alle Sünden.
Jenseits der Angst verglüht mein Unbehagen.
Jenseits der Angst entziff're ich manche Fragen.
Jenseits der Angst spür' ich den Funkenfall des Nichts.
Jenseits der Angst wärmt mich die Energie des Lichts.
Jenseits der Angst fühl' ich mich vogelfrei.
Jenseits der Angst ist mir das Sterben einerlei.

Samira Schogofa

Im Freien

Ich gehe barfuß über Gras
und knabbere an bunten Kräutern.
Mein Schattenplätzchen, wo ich saß,
ist Zeichen allen Zeichendeutern.
Das Wasser aus dem Brunnen kühlt
meine leidzerfurchten Hände.
Der Schmerz, er hat mich aufgewühlt.
Ich streune weiter durch's Gelände.
Die Sonne schließt mir sanft die Augen.
Den Wiesenduft will tief ich saugen.
Seit ich begann, mich auszureihen,
verbringe ich viel Zeit im Freien.

Samira Schogofa

Liebe

Strahlend möchtest du mich sehen.
Strahlend findest du mich schön.
Strahlend reich' ich dir die Speisen.
Strahlend muss ich stets beweisen,
dass ich deiner würdig bin.
Strahlen ist mein Lebenssinn.
Strahlend zeig' ich, dass ich tauge,
und kaschier' mein blaues Auge.

Samira Schogofa

Ergebung

Schwer von Regen
taumeln die welken Blätter
zur Erde.
Im fahlen Licht
wirkt der kahle Ast
unrettbar
in der Kapitulation
kauernd.
War's das?

Samira Schogofa

Irgendwo

Irgendwo bleibt eine Heimlichkeit.
Etwas, das unerreichbar bleibt.
Ist's Suche nach Geborgenheit?
Ist's, weil dir niemand Briefe schreibt?
An Tagen, denen Farbe fehlt,
dich immer wieder Sehnsucht quält.
So manche Blicke himmelwärts
versetzen dir 'nen Stich ins Herz.
Tiefes Verlangen in dir loht.
Wer gar nicht sehnt, ist lang schon tot.

Samira Schogofa

Momentum

Ich muss den Kanal aus dem Tagebuch wringen.
Dabei wollt' ich nur über Grenzen springen.
Lichthungrig hat mir die Seele gebebt.
Feuerrot lodernd habe ich überlebt.
Hab' von Vergänglichkeit getrunken.
Bin in den Funken fast versunken.
Ich will, dass nun mein Leben läuft
und dass fortan der Tod ersäuft.

Susanne Rzymbowski

Mager die Zeiten
die zu Zukunft gemacht
im Steckfeld aus Ansicht
im Kalender von Begier
die kennt keinen Tag nicht
noch Stunde des Seins
so rasselt das Uhrwerk
nur noch zum Schein
ohn Fenster aus Rücksicht
ohn Jetzt oder Hier
auf immer verloren
Verhältnis von dir, mir und wir

Susanne Rzymbowski

Mein Herz schlug wild
im Heiss der Nacht
im Fieber aus Gedanken
und schuf ein Meer
aus Perlen mir
auf eine glatte Haut
nun glitzerts hell
bis in den Tag
als Herzblatt eines Selbst

Elena Zardy

Ein Anfang

Sternenstaub benetzt die Hände
zartes Klingen überall
Ein Schmetterling fliegt sehr behende
streift uns kurz einmal
Leichtes Ziehen auch im Magen
heimlich schaue ich dich an
möchte dir sovieles sagen
frag mich, ob ich es wagen kann
Flügelschlagend fliegt er weiter
setzt sich zart und leicht zu uns
und ich staune, dass er seither
nicht eine Pause nimmt
Die Zeit bleibt steh'n,
die sonst verrinnt

Elena Zardy

Meine Sehnsucht ...

Meine Sehnsucht kannte keine Worte
sie war so klar wie mein Verstand
Sie war von dieser Sorte,
die nicht einmal ich selbst verstand
und ich zeig' dir meine Wunden,
dass du sie heilen magst
hab' keine dieser überwunden,
wenn du mich nach der Liebe fragst

Elena Zardy

Ein leises Gefühl

Deine Stimme klang mir im Ohr,
als ich deinen Namen rief,
als jedes leise Gefühl in mir
noch in meinem Herzen schlief

Deine Stimme lehnte sich an meine Haut,
als ich deine Lippen streifte
dein Geruch war mir schon sehr vertraut,
als in mir ein Sehnen reifte

Deine Stimme hüllte mich in Liebe ein,
als ich nach deinen Händen griff
und als ich deinen Namen rief,
als jedes leise Gefühl in mir
noch in meinem Herzen schlief

Elena Zardy

Auf meinen Lippen

Auf meinen Lippen
trage ich Worte,
die dich wortlos erreichen
und meine Sehnsucht
weht wie ein leichter Wind
über deine Schulter
Ganz sacht nur
berührt dich mein leiser Atemzug
und meine hungrigen Lippen
formen deinen Namen

Elena Zardy

Noch ...

Noch stillst du mich
mit deiner Sehnsucht
noch leuchten alle Sterne hell
noch tanzt du mit mir
um die Häuser
noch finden sich die Gesten schnell
Noch schmecken deine Küsse zärtlich
noch liebst du
wie für mich bestellt
noch suchst du nicht nach neuen Worten
versprichst nichts,
was nicht ewig hält
noch find, ich dich an allen Orten
und spür', wie unsere Liebe hält

Elena Zardy

Schon heut'...

Traurig und sanft
legte sich die Stille
über meine Erinnerung
Noch spürte ich dich
schmeckte noch den Geruch deiner Haut
und doch war mir
schon heut,
zum Weinen

Elena Zardy

Auf dem Regenbogen

Auf dem Regenbogen
wollte ich wieder tanzen
im Mondlicht
an den Uhren drehen
auf Wolke Sieben mich verschanzen
soll doch der Wind
um unsere Stürme wehen

Mit seinen Farben
wollte ich wieder spielen
im Nebel
nach dir Ausschau halten
jedem Sturm die Stirn noch bieten
und unsere Träume still verwalten

Auf dem Regenbogen
wollte ich wieder tanzen ...

Elena Zardy

Ein Traum

Es war wie ein Traum,
den wir miteinander teilten
zart - bittere Wirklichkeit
in verlorenen Seelen
Ich spürte den Traum,
den wir miteinander webten
zarter Verlust
an rauher Wirklichkeit

Elena Zardy

Auf leisen Sohlen

Der Abschied kam auf leisen Sohlen
ganz still und unerkannt
wir mochten ihn nicht einzuholen
er nahm uns an die Hand
Ich wagte noch ein Lächeln,
trug deine Träume fort
Ich wagte noch zu hoffen
und wünschte uns nur fort
Noch weinte ich keine Träne
noch hielt ich tapfer deine Hand
und jedes Wort, das ich erwähne
in deinem Herzen Echo fand
Noch stillte ich mit dir die Sehnsucht,
betrat so manches rauhe Land
und wenn ich noch nach dir gesucht
du führtest mich an deiner Hand
Doch kam der Abschied heut‘
auf leisen Sohlen
ganz still und unerkannt
wir mochten ihn nicht einzuholen
Er nahm uns
weise an die Hand

Elena Zardy

Einst ...

Einst hatten wir noch Träume
und stritten uns
um manches Wort
Einst brauchten wir noch
Lebensbäume
und träumten uns
zusammen fort

Einst wollte ich mit dir
Drachen töten
dem Tode etwas näher sein
konnte wie ein Kind erröten
wollte niemals mehr
alleine sein

Einst wollte ich mit dir
die Welt bezwingen
zum Feuer fehlte nur
ein kleines Stück

Heut' fühle ich
den Abschied schwingen
Ein letzter Traum
ein letztes Wort
vom Glück

Klaus-Dieter Boehm

ich hab heute
Nacht
von
meiner Kawasaki
geträumt -
sie
hat nur ein Auge
aber filigranes
Profil
ich hab sie mit
blondem Bernstein
und glitzerndem
Talmi
gezäumt
so fuhren wir
durch nachtblaue
Nacht
in den nackten
Morgen
parkten beim
nächsten
Regenbogen
unter der aufsteigenden
Sonne
verborgen
neben Gärten
blühender
Phantasien -

und die kleine
winkende
Hand
beschwörender
Blick
am Strassenrand

Bettelstäbe
zum Stolpern
ausgelegt -
das heisere Lied
der Kawasaki hat
alles Bedenken
zerfegt

weiter -
nach Hause
wo
schreie
ich gegen den
Wind
irgend wo
irgendwohin ...
weisst du nicht

es gibt
Verlorene
von
Anbeginn -

Klaus-Dieter Boehm

der
Weg?

das
Ziel?

der
Ausweg -

Klaus-Dieter Boehm

Frühling ist -
sie
hat nen
Neuen
der Alte ist jetzt
bei ner andren
Alten
neu -

das Land liegt da
mit breiten Beinen
Liebe
rüstet
auf

noch aber stöbern
weisse Flocken
in den Hecken
aus Lametta
werden
richtge Blätter

das neue Grün wird
jetzt schon rot wenn
es an später denkt –

lustvoll spendet Gattin
Gattenfreund die Gunst
der Stunde Frühling
schreits
aus aller Munde
der Winter ist vergangen
überall nur Schein
deutsches Geflügel
singt im Hain
und fordert ungestüm
Audienz

es ist ein rechter
Turbulenz

Veronika -

Klaus-Dieter Boehm

... ihre
Linguistik
virtuos

circensische
Zungenfertigkeit -

starres
Dauerlächeln
in baggerseegrünen
Blickfolgen -

„Liebe“
wie aus dem
Ludenseminar -

aber
die Nacht hatte
glänzende
Augen

von weither
wehte
Bandoneontrauer
über die Wiesen

zerfaserte
im Rauschen von
Silberpappeln
und Uferschilf -

später

fand ich
noch
einenen Groschen
in meiner Tasche

als der Rausch
im Frühdunst
verflogen
war -

Linguistik

Klaus-Dieter Boehm

Liebe

heisse
Loslassen

ich
halte nichts
von dir -

lasse
dich
los

auf
andere ...

loslässig

Klaus-Dieter Boehm

Amseln
drosseln
ihr
Gespräch -

von weitem
quietscht
in der Kurve
die Strassenbahn

auf Lavendelblüten
blinken
Regentropfen
Abendwind
durchstöbert die
Blumenkastengärtnerei

ein Rest vom Wein
grämt sich
in der
grossen Flasche
fast ist der Tag
gemeistert -
nur

das Glück noch
wimmert
in den Gassen

hätt sich von
Schmiedehämmern
beinah

erschlagen
lassen - -

Glücksleid

wenn sich dein
Körper
um den meinen
schliesst
wenn sich mein
Inneres
in deins
ergiesst

dann ist die Welt
für die Sekunde
still

dann sind wir
in dem
Zauberberg
wo niemand
etwas von uns
will -

doch gerad in
diesem
Augenblick
auf diesen Höhn des
Lichts

beginnt das grosse Fragen schon
und der Verfall
ins Nichts

weiss ich was
in dir
vor sich geht

und

was dein Sinn

sich traut

bei aller innigen
Verschlungenheit

nie

dring ich
unter

deine Haut - - -

Klaus-Dieter Boehm

eine Kitschorgie
mit erhöhtem
Stromverbrauch
Kalorienwilderei
Geschenkkarussell
wie
du
mir
so ich dir

hohle
Gedankenfinsternis
sentimentale
Triefaugenposse
Gefühssudelei
in Gänsebraten
und Karpfensosse -

wenn
doch bald
Ostern
wär ...

Klaus-Dieter Boehm

deine
Stimme

verflogen

eine Blaumeise
durch die
krüppeligen
Zweige
der Platane
vor der
Laterne

dein Schal
leuchtete
abendrot

vor!
ergrautem
Himmel -

als du fort warst

stand ich ratlos
wie
bevor du kamst -

ausgesetzt ...

Klaus-Dieter Boehm

vielleicht

bist du ja nur ein
irregeleiteter
Steinwurf -
der Verrat
deiner eigenen Flugbahn -

ein trauriges Lied
aus schiefen Tönen -

klangfaserig
novemberschwarz -

Zahnspangen
unter verrutschter Perücke
auf
fahlem Skalp -

steckengeblieben
in den schartigen
Schlaglöchern
der Fluchtwege
unter fiebernden
Wolkengipfeln
rotweinblessiert -

versteckt

hinter aufgeregten
Stiefmütterchen
in der Schubkarre
des Gärtners -

wollte dein
Drachenherz
zärtlicher

Lieblosigkeit
entziehen
und blieb

bis das Lied
im gurgelnden Gulli
der Fussgängerzone

sich
verschluckte -

Klaus-Dieter Boehm

sie
hatten nichts
zu tun

mit!
niemandem -

aber
sie taten
was sie konnten ...

was
tust
du?

er bemühe sich
nichts
zu tun -

niemandem -

Klaus-Dieter Boehm

sie
kommt zum Abendessen
nicht
nach Hause
vielleicht
geht sie?
oder auch nur
fremd?

ich steh am Fenster
Wolken jagen übern Himmel
und alles
was mein Herz
beklemmt -

sie
kam zum Abendessen
nicht nach Hause

zum Frühstück
war sie wieder da -
ich stand am Fenster!
bis ich sie
kommen sah -

nun
ist sie fort -

ein Körperdrehn -

stehe immer noch
am Fenster

und sehe
Wolken
verwehn ...

friseurgepflegte
Damenköpfe
Küchenmeisters
Kunstgeschöpfe
in den Gläsern
frisches Pils

silberhelles
Frauenlachen
Hühnerbeine
in den Rachen
auf der Zunge
eine Zote
gibt dem Abend
seine
Note

etablierte Eheweiber
drücken
lüstern reife Leiber
ärschlings
auf der Sitzbank platt

befreit
vom Ehejoche
einmal
lustig
in der Woche

mit Malteser schliesslich
Branntewein

in die
schwarze
Nacht!
hinein ...

sehnsuchtssüchtig ...

Klaus-Dieter Boehm

kein
Wort -

kein
schwanzverwedeltes
Schamlippenbekenntnis
mit Sahnehäubchen und
perlmuttriger
Pistolengriffornamentik

bleibst du?

nicht ewig
währt die Nacht!
morgen

muss ich in
Worpswede!
sein

oder
Jottwede?

unter fremdem Himmel
ein Dach
überm
Kopf
bevor
der Sturm die
Tür
zuschlägt
einfach so

wie
sonst ...

Klaus-Dieter Boehm

Herz
in den
Himmel
gehängt

an Fetzen flüchtiger
Wolkenbilder

nichts sonst
in der Höhe als
das Lied von der Erde
oder
das Flimmern
aus dem Staub der Strassen
das Flattern
verlorener
Gedanken
als sie auf verlorene
Blicke trafen
beim Tango der
Herzschrittmacher
vor dem Einauge des
Abendsterns -

es ist März -

in den Iden
klappern Störche -

die
war beleidigt
als ich nicht
vögeln ...
also
als also - - -
dann klappte die Tür ...

Papagenos
verlorene
Kompetenz

nach dem
Gezwitscher
der
Einzigen

und
kein
Spatz mehr
in der Hand
und
keine Taube
auf dem Dach
aber
taub
alles - -

ohne
Federnlesens

starr -

Eisvogels
Nachtgesang
auf dem Dach
der Welt

als die
Vögel
Trauer
trugen -

Klaus-Dieter Boehm

der Hafen
hämmert!

wie die
Olympische
Dorfschmiede
gegen das
aufsteigende
Ufer

des
Flusses
die hängenden
Wintergärten
der Gilde Merkurs

ihre
Schlösser
Kanzeln
gebaut
parallel zum Strom

vorbei
müsst ihr
aber an uns
kommt keiner vorbei -

Gebete
um den Kurs
der Papiere -

Katamarane
hin und zurück
Schlepper
gegen den Strom

die Schleppe
der höheren Tochter
schlurft den Uferstaub
über den Marmor
der Prunkpranken -

Boss
oder
Amboss

ist die Frage -

ein Schiff wird kommen

Vormärz
in Elbarkadien

... leben
und
Leben
lassen ...

dazwischen
Fussball
schick
Essengehn
ach ja -
die Nummer unterm
Weihnachtsbaum

und
Müll
rausbringen
und
halbvolle
Gläser
halbleer

faseln
in den Wind
Sätze
welche abgetrieben sind -

anspruchsvoll
zu
anspruchsvoll -

Zwischenraum

Klaus-Dieter Boehm

... zwischen
uns
besteht
gar keine
Unklarheit

die
Trennscheibe
beschlägt erst
wenn wir ihr
zu nahe
kommen ...

nächstens

Klaus-Dieter Boehm

... Tag
verbracht
nichts
gemacht

nicht
einmal
gelacht

Stunden
einfach
umgebracht

Fazit
in der
Nacht ...

Klaus-Dieter Boehm

Lass
mich
gehn -

will
bevor noch im
Delirium
einiges
bedenken
und eh der
Rücken
buckelkrumm
den Blick auf
Licht und Lüfte
lenken
möchte
schon im Sterben
mich um
Unsterblichkeit
bewerben
bevor noch meiner
Äusserungsnot
das letzte grosse
Schweigen
droht -

lasst mich gehen

heute!
den!
Prinzen v. Hamburg!
gesehn -!

aus schwarzer Karosse!
lächelnd!
lässiger Salut -!

doch!
es gelte!
goldenes Schweigen!
zu versilbern!

mikrophon!
in den sonderen!
Stuben der!
Nachtstudios -!

dann!
schimmert die Zeit!
durch Plattenrillen!
verklebt in phonetischen!
Schnibseln!
von Monologen!
in den Orkus!
schläfriger!
Schlaflosigkeit -!

ohne Widerworte -!

und in fliegenden!
Birkenmähnen!
duftet Honig wilder Bienen!
an verschlossenen Fenstern!
vorbei!

über der Strasse!
lachfaltenloser!
Blickleichenstarre!
lösungenlos !
zwischen den Schauern -!

Salut!
messias B.!
Prinz v. Hamburg!

Klaus-Dieter Boehm

ein!
Lied!
steigt!
auf!

in die schwefelige!
Abendwolkenwüste!
die glimmenden!
Sonnenreste!
am Ende des Tages -!

still!
vor Sonne!
strahlenblind!
taub!
in Tönen gelähmt -!

ein fremdes Dach!
unter!
fremdem!
Himmel!
über dem Kopf!

bevor der Sturm!
die Tür!

zuschlägt!
und alle Stricke reissen!
im Dickicht der!
Dunkelheit -!

noch aber blinkt!
Sonnengold!
durch die Schatten!

als!
das!
Lied!

verklingt!
dort!
wo das Land!
zu Ende ist -!

... erloschenes!
Gesicht -!

müde!

vom Sterben -!

unter dem Triumphbogen!
jubelnder!
Kirschbaumblüten ... !

im Fluge flüchtiger!
Sternschnuppen!
keucht die Liebe!
über den Boulevard -!

zwischen geschürzten!
Schenkeln!

Asphaltglut!
eines!
verlohten!
Frühlingstags -!
im Gebüsch der!
struppigen Hecke!
neben dem!
Schuhgeschäft!

staccato -!
erloschen!

über Schrebers!
ruhenden!
Gärten!
gähnt!
sich der Himmel!
aus - !
sein Atem strömt in!
Sträucher und Stauden!
hängt glitzernde Perlen!
in lockende Blütendüfte -!
langsam leuchten Farben!
auf -!

dies war dein letztes Bier -!

an der Haltestelle!
vergreisen jüngste!
Gesichter!
der Tag nimmt Anlauf!

zwölf Stunden trocken!
ein bisschen Tee vielleicht!
goldbraun wie frischer Torf!

kraftlos verdunsten Hirne!
nach verendeter Nacht -!
und legen Hüte auf das!
Pflaster -!

im 15. Stock befiehlt der Herr!
zum Rapport -!
Tastaturen schnattern!
...

ein Lied geht um die Welt!

werde!
dich nicht vergessen!
nicht!
unter grünstem!
Rasen!
oder!
Birkenhainen!
verstreut!
in alle Winde!

du!
bist in mir!
wenn ich ausser!
mir bin!

du!
bist ausser mir!
was in mir ist!

und der Letzte!
den kein Hund!
beisst!

aber!
ein Lied!
ein Klang - - -!

bis!
du!
schliesslich!
selbst!
zerklingst!

unter fliegenden Fahnen!
im wortlosen Wind!

dann ist das!
Ende!
der Welt!

und!
Frieden - - -
Kind

Gerhard J. Duerschke

Hohe Tatra

Im Vorausdenken des Weges im Schatten der Berge
von *Zakopane* aus am *Schwarzen See* entlang
Krummholzkiefer und rauschende Wasserfälle
Eisenhut, Gamswurz, Enzian und das Edelweiß
begrüßten uns auf der *Großen Gämsenspitze*
im Sonnenlicht der kühlem lichten Luftweiten

Unter Wolkenwogen schwebend in Sonnenfluten
hoch und frei in unfassbaren Ebenen der Himmel
im Winde der Ton der Weite in Sturmklangwelten
auf dem *Adlerpass* hinauf im Weg bis zur *Adlerfährte*
über die steilen Fluchten der schwarzen Felswand
gehüpft und gesprungen über die Abrisskanten

Hangwärts im Echoraum der fliehenden Wolken
ob in klaffenden Felsplatten auf Eisenhacken
mit Ketten im schwarzen Schlund der *Teufelskehle*
im wilden Felskessel die Todeswand zum *Zawratpass*
über die gefrorenen Bergspitzen im *Adlerweg*
hoch oben, wo die Adler über steilen Pfaden kreisen
über den Abgründen hinweg mit der Natur vereint

Gerhard J. Duerschke

Hohe Tatra II

Wanderer finden die Grenzen der Dinge und der Seele
wie aus der Zeit gefallen in Linien und Räumen
im virtuosen Spiel von Lichtwolken und Schatten
in Höhen und Tiefen für junge Adler und Giganten
die Elegie des himmelwärts unerreichbaren Gefühls
im Blick aus den Höhen im saphirblauen Schein
in das gewaltige Tal der fünf blauen Gebirgsseen

In stiller Ruhe ewiger Transformationen des Seins
die Welt im göttlichen Plan bis zum Ende aller Zeiten
Wolkenmeere schwebend in klingenden Wogen
Feuergedanken in unendlichen Stimmweiten
das Versmaß des Lebens im Zeitmaß als Maßeinheit
das Herz im Taktmesser vom Metronom getragen
die Zahl der Schläge offen hörbar - die Zeit im Raum

Von der *Todeswand* in die Abgrundtiefe gefallen
schwebt die Seele für immer in den lichten Höhen
im Chaos der Wolken die gewaltige Form von Licht
wirft weit voraus seinen Schatten auf den Weg
eingetaucht in Farben und Klängen der Bergmusik
im Echoraum das helle Licht in dunkle Schatten bricht
das Zeitmaß am Ende einer langen Wanderschaft

Zakopane, Villa Atma -2002

Gerhard J. Duerschke

Irgenwie – irgendwann – irgendwo

Irgendwie auf dem Fluchtweg nach Wegzeichen
Irgendwann im sehnsüchtigen Verlangen
Irgendwo die Zeit im Geiste durch Dinge fließt

Irgendwie kein Ende wendet in die Leere
Irgendwann auf alldieweil in Weiten
Irgendwo am Scheideweg aus dem Ich der Welt

Worte von irgendwo bekannt auf der Suche
dem Irgendwohin aus dem Irgendwoher
ein euklidischer Traum vom Kreisen im Dreieck

Irgendwann aus dem umkehrbaren Nicht-Sein
Irgendwie ist alles Wasser, Luft, Feuer und Schicksal
Irgendwo von der Nicht-Existenz zum In-sich-Sein

Der Horizont dehnt sich unendlich im Nebel
Irgendwohin das Um-sich-Sehen aus der Ferne
das Irgendwie – irgendwo dazwischen im Irgendwann

im Nirgendwo die Muse Mnemosyne in Versen
im luziden Zwielicht die Tochter des Schlafes
Nirgendwo bleibt man länger als in der Gegenwart

Gerhard J. Duerschke

Flutwellen

Zeilen wie Flutwellen umgeben den Archipel Sprache
ein Archipel des Lichts im Chaos der Wellenbrecher
von Windeszügeln gerissen in Abgründe der Sphären
Seepferde in fließenden moosgrünen Wiesen der See
im Versmaß wie ein Ozean im Metrum der Flutwellen
ein Gefühl für die Unendlichkeit in stillen Monologen
das epische Sein der narrativen Lyrik des Lebens
bis die Wellenbrecher des Klanges verebben im Meer
im Anschwellen der Wellen über den weiten Horizont

Im Meer versunkene mit Worten angefüllte Verse
Verse der Stille geborgen in den Muscheln des Meeres
über dem ewigen Auf und Ab der wogenden Wellen
in den Fluten des Geistes in des Gesanges Nachhall
die Wellen entreißen in Flammenschwellen das Licht
der Weisheit der Erde in voller Allgegenwart der Zeit
nehmen die Wellen der Worte - Wellen in die Hand
im klingenden Windsturm mit gehissten Segeln
Worte aus schäumenden Gewässern im Gesang
der Gesang des Todes durch die Meere der Welt

Über den stürmischen Fluten im Ozean der Zeiten
das leuchtende Licht im schimmernden Äther des Alls
Lichtjahre entfernt schwebend in unendlichen Weiten
zurückversetzt in die Daseinsform schillernder Wolken
ertrinkend in der Sturzflut wogender Unergründlichkeit
magisch wie eine Vision der Zeit das Inbild im Spiegel
im Nirgendwo die Wirklichkeit in Wolken verschwebt
ein Punkt im Chaos des hell flammenden Sternenichts
ist Sprache das Sein im Versmaß der Unendlichkeit

Gerhard J. Duerschke

Erden-Sein

an Stephen Hawking

Wo das Nicht-Seiende ist der Anfang des Seins

Am Anfang war der Urknall
die Spaltung
Konzentration der Atome
verdichtet zur Urkraft
im kosmischen Kreis

Die Spaltung - das Licht
das Nichts und das Werden
der Urmasse im All
Vom Nicht-Sein zum Sein
in der Urkraft Ekstase
der Sinn vom Ursprung
die Verdichtung des Seins
vom Anfang der Bewegung
das Rätsel der Zeit

Goethes Fall der Schöpfung
das kreative Fallen nach Oben
vom Chaos zur Kraft der Einheit
der Mythos vom Untergang des Nichts
in des Alls Finsternis

Ein Quantensprung der Urkraft
In der Raum-Weite
In die Zeit-Dauer
im Vergehen - Zerfallen - Verändern
der Urkraft bewegendes Prinzip
Die Ur-Setzung + n 1
der Einheit im All-Einen
setzt die Atome in Bewegung

Gerhard J. Duerschke

Mensch-Sein

Vom Urknall zur Urkraft
durch Konzentration der Atome
vom Mythos zum Logos
die All-Einheit
der Gesamtheit der Formen
In-Formationen in Formen
von der All-Einheit

Der Mensch-Teil der All-Einheit
ein kosmischer Baustoff für den Aufbau
des Bewusstseins im Dasein
der Mensch – unseres Ich
Alles sind wir selbst im Unendlichen
vernetztem System der Welt
hochkomplexer Urkraft Konzentrationen

Der Mensch-Sein eigenes Für-sich-Sein
mit eigener Kraft im eigenem Dasein
die Formen, das Gehirn, das Bewusstsein
die Schrift und das Gedicht
im Lebensstrom des Denkens
der Gedanke das Sein der Sprache

Die Setzung des All-Einen
der dichterische Wert der Verdichtung
Es ist das Dasein-Das ist
das Epische ist die Größe der Dichtung
wenn das Sein dem Denken innewohnt
die Theogonie der Musen
im Herzen der Finsternis
in des Feuers weißer Mitte

Gerhard J. Duerschke

Wörterwälder

Wenn beim Schreiben die fünf Finger
nach der Feder greifen und zu schreiben befehlen
hält der Dichter die Feder zwischen seinen Fingern
auf das weiße Blatt Papier gesetzt
die Hand eingeschlossen im Schein vom Kerzenlicht
in aller Stille im Echo der Illusionen
alleingelassen Auge in Auge mit dem leeren Blatt
sind die gerufenen Schatten der Schrift
der Feder entsprungene Fabelwesen in stiller Nacht

In einen Wald von Wörterwäldern versunken
das weiße Blatt Papier immer ein Rätsel
in der Umgebung und der Umarmung der Zeit
Epen des Augenblicks wie Ariadnes Faden
Worte der Flucht und der Rückkehr im Zwielicht
eingehüllt vom Timbres im Rhythmus der Metrik
auf dem Schreibtisch liegen die Reime begraben
wie die verlaufende Tinte eines entlaufenen Gedanken
im Aufflammen des Lichtes Blatt für Blatt

Die Poesie auf weißen Blatt mit blauer Tinte
Geschöpfe geboren in einer Albtraumfabrik der Feder
Schimären der Architektur von Texturen
der Lauf von Gedanken der visionären Inspirationen
eine Zeit im Feenland der Federdichtung
das Bauen von Lautzeichen in strömenden Vokalen
mit der Unruhe des Herzens im Kopf
im Leuchten der Laute im Federstrich der Füllfeder
einer mit der Federspitze geschriebenen Technologie

Gerhard J. Duerschke

Vertraue auf dein Wort

Suchen und fragen
hoffen und sehen
im Planen und Bauen
ein Neuland begehen

Die Zahl der Sterne
die Welt verstehen
mit Worten und Werken
in die Tiefe gehen

Worte der Wahrheit
die nie vergehen
im Lichte des Sturms
im Strom von Anbeginn

Im Traum und im Schlaf
auf den Flügeln der Zeit
wo das dunkle Endliche
im Unendlichen verbleibt

Worte der Wahrheit
in der Urflut der Zeit
dem Wogen des Meeres
die Kraft der Ruhe verleiht

Gerhard J. Duerschke

Herbstgedanken

Die Wolken vom Regen in Silber verkleidet
ein Regenvorhang verschleiert die Welt
Blitze entzünden bedrohlich den Himmel
ohrenbetäubend das Echo des Windes
Wolkenschleier die im Wolkenbruch zerfließen

Blitze entzünden Lichter in goldenen Strahlen
mächtige Schatten in Lichtflächen folgen dem Wind
ein Vorhang aus Regentropfen verzerrt das Bild
der Widerhall der Schatten zerfällt am Horizont
dem Echo des Lichtes folgt das Schattenlicht

Regentropfen im Wind zerspringen wie Glasperlen
Wolkenworte fließen wie farbige Tintenstrahler
die im Kaleidoskop am Himmel schwebend
ein Lichtfeuer entzünden in Lichtfächern der Poesie
in sphärischen Klängen im Labyrinth der Wolken

Der Wind spannt die Saiten der goldenen Lyra
er allein kann die wahren Lieder der Welt singen
das Ende einer Ära schwebt in ätherischer Helle
nur ein heimlicher Schatten verfolgt das Licht
die Zeit verflüchtigt das Echo in den Winden

Gerhard J. Duerschke

Schatten fremder Magie

„Es kommen härtere Tage. Die auf
Widerruf gestundete Zeit“
(Ingeborg Bachmann)

Wir stehen alle am Rande der grauen Wirklichkeit
und sehen hinaus in das dunkle Loch der Zukunft
in die Weite hinter den Horizont von irgendwoher
der Himmel im Dunkel verhangen Wolkenschwer
ziellos amorphe Finsternis die Form der Stunde
verschlossen und abgrundtief im Dämmerzustand

Die graue Zeit erfüllt den Raum im neuen Nichtland
kein befreiendes Chaos - kein erlösender Knall
wir gehen mit klarem Verstand in den reinen Wahn
die graue Zeit zieht in die Tiefe unser Nichthaus
kein Wort verwoben in eine Form - nur dunkle Zahlen
kein Nachbeben der Ungleichheit vor dem Bruch

suchend nach dem Fluchtpunkt der finsteren Energie
Sequenzen der Stunde wenn das Herz schlägt in Angst
dem Donnerschlag explosiver Orientierungslosigkeit
taumelnde Menschen hilflos inmitten einer Flucht
von einer Flutwelle erfasst im unwiderstehlichen Drang
ein moralischer Teufelstanz der Weltenretter im Rausch

In einer finsteren Wirklichkeit von Lebenden und Toten
geheimnisvolle Schatten fremder Magie in Schaltkreisen

Gerhard J. Duerschke

Feuersturm über Dresden

Dresden, 12.-13. Februar 1945

Rote Armee Panzer rollen über Schneefelder an
Kinder werden in Panik in Güterzüge verladen
die Flucht auf Gleisen mit einer Kerze in der Hand
Tag und Nacht auf Schienen übers Glatzer Land
Kinder-Verschickung von Andrihau nach Dresden
von der Feuerlinie der Front in den Flammenraum

Der Feuerstoß von einem teuflischen Atem geführt
bahnte sich den Weg durch die schöne Elb-Residenz
ein Feuersturm überschwemmt die Elbe – den Fluss
Sirenen beklagten die Ohnmacht der Wehrmacht
die kalte Nachtluft peitschte im Wind die Feuerbrunst
schwarze Leiber rauchten und schrieen vor Schmerz
wir fürchteten uns vor dem Ende unserer Tage

Die Stadt Dresden zeigte einen dantesken Anblick
eines infernalischen Feuers das vom Himmel fällt
In ohrenbetäubendem Getöse stürzten ein die Häuser
der vom Feuer aufsteigende Wind brüllte in den Straßen
Im Rauch der Feuerbrunst glaubten wir zu ersticken
Asche regnete von den Dächern bis zur Dämmerung
Flammen umhüllen die Menschen – Dresden brennt

Die Tragödie verkohlter Leichen unter den Trümmern
Hunderttausend Flüchtlinge aus Schlesien begraben
unter einer weißen Schneedecke am nächsten Tag
die Flugzeuge waren weg – die Sterne sind gefallen
langsam zerfließ die Welt um uns herum in Tränen
die Stadt Dresden wurde für Jahre zur Fata Morgana

Gerhard J. Duerschke

Sprache ist Sein

„Sein, das verstanden werden kann, ist Sprache"
(Hans-Georg Gadamer)

Die Ursache von Werden und Vergehen
liegt zwischen dem Geist und der Natur
das Entstehen vom Ursprung der Ordnung
im sinnlichen Strom von Fließen und Dauer
der transzendentalen Dialektik im Gedicht

Der Sonne Spiegelbild im Wasser des Sees
ein trügerischer Schein der Dichtung im Sein
ein in den Sand geschriebenes Gedicht
verweht wie im Winde die Seele der Natur

Das eleatische Sein im Übergang ins Nichts
Gedanken die Unsterblichkeit überwinden
ein epischer Seinszustand im Wesen der Poesie
das Licht des Mondes dass im Wasser bricht

Denn Denken ist wenn das Sein anwesend ist
im Wesen der Worte das wahre Sein der Sprache
die Seele der Sprache zwischen Natur und Geist
gemeinsam in der Sphäre der Sprache gebunden
die eigene Sprachgestalt im autopoetischen Sein

Es gibt kein Sein außerhalb der Sprache
der Sinn zwischen den Dingen wie die Luft zum Atmen
die Erfassung im Wort im Vorverständnis der Welt
ist Sprache der Sinn im Sein in dem wir Leben
die ererbte Vergangenheit im Seinsdenken

Norbert Rahn

Wenn die Farben stürben

Bereits in irdisch‘ Mittelalters Zeit,
Als herrschten schier wahrhaftige Giganten:
Kometeneinschlag brachte Dunkelheit -
Dann Lebewesen nichts als Grau erkannten.

Durch Feuer, Kälte, Staub und Düsterheit,
Zusammen mit dem Untergang der Farben:
Schnell wegradiert für alle Ewigkeit -
Die Dinosaurier damals plötzlich starben.

Was wäre, wenn der Menschheit das passiert,
Wenn Farben-Vielfalt würde uns verlassen,
Wenn nur Konturen würden registriert?
Ein jeder würde diesen Zustand hassen.

Wild plündernd Horden zögen über Land.
Die Düsterkeit verschlänge Sein von Erden.
Gedanken fast mir rauben den Verstand -
Sie dürfen niemals Denkens Fokus werden.

Genießt in vollen Zügen Farbpracht pur,
Bis einst das breite Spektrum wird vergehen!
Saugt auf die Vielfalt bunter Farbstruktur,
Solange wir noch Regenbögen sehen!

Norbert Rahn

Die Kette

Ist „Kette“ nicht ein triviales Werk,
verbindend Menge gleicher Einzel-Glieder?
Lasst richten uns auf sie das Augenmerk,
wir finden sie zuhauf im Alltag wieder:
Die ganze Erde scheint durch sie umspannt;
Geflecht gebühren höchste Lobeslieder.
Das Internet ist letztlich nur bekannt,
weil Texte, Bilder da geschickt verkettet
durch Querverweise sind, meist Links genannt.
So mancher Ritter wurde nur gerettet
durch Ketten-Panzerung aus feinen Ringen,
in die der Krieger schwer war eingebettet.
Doch auch in vielen ganz abstrakten Dingen
erstrahlt die Kette, kann auf ihre Weise
die Folgerung der Logik oft erzwingen.
Gelehrte liefern Schlüsse und Beweise,
verlassen sich genauso auf die Ketten,
wie Juweliere schätzen Perlenpreise.
Die Fahrradfahrer pflegen sie mit Fetten,
auf dass die Kette reibungsfreier liefe,
um Schaltung vor Verschleiß zu retten.
Betrüger senden viele Kettenbriefe
in Hoffnung, Geld zu scheffeln kiloweise,
begebend sich in Unterwelten Tiefe.
Der Kettensäge Klang ist gar nicht leise:
Das klingt so überhaupt nicht wie ein Lied,
wenn man im Wald motorisch mäht die Schneise.
Der Kette Kraft begrenzt das schwächste Glied.
Zusammenhalt ist ihre Stärke eben -
dafür gibt´s nach wie vor den Kettenschmied.
Und diese Verse sollten Beispiel geben,
Verkettung der Bedeutung nach Gewichten,
um Ketten wirkungsstark hervorzuheben:
Sie eignen sich zu mehr als nur zum Dichten.

Andrea Hallmann

Die Gedanken

Leise werde sie gesponnen
In manch dunkler Nacht
Hab sie oft beim Wort genommen
Laut und leise mit Bedacht
Unbehelligt ausgesprochen
Nicht darüber nachgedacht
Können sie zusammen finden
Wort zu Wort zu langem Satz
Wird daraus eine Geschichte
In der einsam dunklen Nacht
Bricht das Tageslicht durchs Fenster
Fort sind alle die Gespenster
Die Gedanken aus der Nacht
Haben sich davon gemacht
Schlummern leise durch den Tag
Bis ich sie vergessen hab

Andrea Hallmann

Herbst

Dunkelheit
Der Regen viel
Ohne Pause
Viel zu viel
Pfützen werden
Leicht zum Bach
Tränken Wälder
Sowie Wiesen
Wolken schicken
Sonne schlafen
Dunkelheit frisst
Helligkeit
Schnell fliegt der Tag
Vorbei - vorbei

Andrea Hallmann

Blind

Laut erklingen die Gewehre
Dumpf der Fall der Getroffenen

Keiner will es wissen
Keiner will es sehen

Uns es geschieht immer noch
Tag für Tag

Irgendwo auf dieser Welt
Jetzt in dieser Sekunde

Frieden wünsche ich mir
Frieden für alle

Jetzt in dieser Sekunde

Felix Martin Gutermuth

Sekt zum Frühstück

Das Arbeitslosengeld ist da
der Pöbel erntet seinen Spott
ich bin gerade aufgewacht
und habe mir einen Sekt geholt
und mich an den PC gesetzt
um zu schreiben
ich schreibe beschissen
nach zwei Gläsern intus.
Eine Kurzgeschichte sollte
es werden
über einen Mann mit
einem Konto.
Und nun schon wieder
ein Gedicht,
aber das Gedicht
wird am Ende
der Sieger sein.
Die Möglichkeit etwas
hinzufetzen,
selbst wenn gerade
keine Dame neben dir liegt
und du einsam bist
ist das einzig wahre
an so einem Morgen
ohne Ziel,
aber mit genug Geld
um einen halben Monat
zu überstehen.
Die Sonnenstrahlen durch
das Fenster zum Balkon
und ein Glas Sekt in der Hand,
tippen,
tip, tip, tip.
Es hätte schlimmer kommen
können.

Knapp am Irrenhaus vorbei
und jetzt schon wieder
einen im Tee.
Das Gedicht wird am Ende
der Sieger sein,
mit oder ohne Sekt.
Dichten für gratis.
Gib ihnen alles,
alles von dir,
Orkus
und Zeit.
Wir sind alle verrückt,
wie ich nach Nora.
Und selbst der schlimmste
Paragraph ist nur gedacht
für den,
der dumm genug war.
Ich gieße mir noch ein
Glas voll und setze
mich auf den Balkon
und rauche eine Zigarette
und auch dieses Gedicht
wird nur eins unter Millionen
bleiben,
ein Fragment ohne Datum
eine Aufzeichnung ohne Gewissen.
Puste den Rauch in die City
und dann
schon Adieu…
auf eine neues…

Felix Martin Gutermuth

Arztbesuch

heute musste ich zur Spritze
und hatte meine
Krankenkassenkarte verloren

sie schickten
mich wieder nachhause

und ich legte mich
ins Bett
und war irgendwie froh
darum

Medikamente, Medikamente
nur eine weitere Falle
in die man tappt
gerichtlich angewiesen

Felix Martin Gutermuth

Nachtwandler

oft schlafe ich Tagsüber
um nachts dann nochmal
durch das Karree zu schlendern
bei ein paar Bier und Zigaretten
vorbei an Sexkinos, Kneipen, und Spätis.
Gedichte kommen
wie Frauen und gehen
wie Frauen
mal gut
mal schlecht
aber immer zum Kotzen

Felix Martin Gutermuth

Fieber

elektrifiziert
zitternd
wartend
auf das nächste Wunder
den nächsten
Besuch im Bordell
die nächste Frau
den nächsten Rausch

full of life

Felix Martin Gutermuth

Was für ein Zirkus!

ich lebe wie tot
in meinem Nest
meinem Universum
zwischen Klospülung
und Couch
Balkon
und meinem Bett

Felix Martin Gutermuth

Alptraum

nüchtern
betrachtet
ist selbst
der schlimmste
Alptraum
nur ein Furz
für Gott,
eine Lappalie

Felix Martin Gutermuth

Nora

immer wieder
Nora
in meinen Gedanken
meinem Herz
meiner Empfindlichkeit
und zugegeben
Beziehungsprobleme
sind lächerlich
in einer Welt
in der sie im
Mittelmeer ertrinken

nur erkläre das
mal deiner
Unvernunft

Felix Martin Gutermuth

sex sells

ich hatte ein
neues Tape fertig
Jazz und Rap
„sex sells“
hieß das gute Stück
und ich verschenkte
es als Widerspruch

Felix Martin Gutermuth

Katerstimmung

ich hatte
mich mal
wieder
peinlich gemacht
als Trinker
gang und gäbe

nun,
zur Hölle damit
denn wer nicht
versteht zu Leben
dem ist auch
ein Bier
schon zu viel

Felix Martin Gutermuth

Mit den Gejagten

Wir sind
alle nicht frei
von denen
die dir hinterher sind
weil du anders bist
anders denkst
andere Gedanken hast

New York, Berlin und die Stromkreise der Verzweiflung

Alles wir übertrieben.
Die Bedeutung des Sextus und die Versager
an den Geländern der Brücken.
Ich hatte mal wieder die Gewissheit in der alles ungewiss war,
für eine Existenz, die mich nur noch im Stromkreis gammeln
und in Einrichtungen leben ließ. Vorerst.
Und ich wusste das ich noch jung war,
und eine Zeit in der es nur noch darum ging
wer einen Fick gab oder keinen
und wer mal wieder mit wem im Bett landete,
schien alles zu sein worum sich das Kurikerum drehte.
Frauen und Männer, Männer und Frauen,
Paare und die einzig wahren Dichter
die keine Chance auf einen Platz in der Bibliothek bekamen.
Sollte das schon alles sein?
Und was war mit der Philosophie und den Göttern aus Häusern
in denen sogar die meisten einsam zufrieden waren,
einsam, und wenn sich mal wieder eine Ische fand,
sollte das auch schon eine Belohnung sein,
eine Belohnung für das Aushalten über Jahre,
rauchen und Musik hören.
Und sogar sie waren philosophisch,
kreativ und auch ohne eine Frau wie tot,
aber mit Bibliotheksausweis und einigen Büchern von Nietzsche.
Ich hatte einen Pakt mit mir geschlossen,
der besagte das ich geschriebenes nicht mehr ändern darf,
und wenn, musste ich nur noch was wegstreichen.

Mit Nora hatte ich immer noch nicht abgeschlossen,
und selbst wenn es keine Hochzeit werden sollte,
die uns eine Schifffahrt nach New York zum Geschenk macht,
dann war ich zwar immer noch nur verzweifelt und ohne Ziel,
aber froh ein individualistisches Dasein zu fristen.
Ein Dasein das meine Kreativität; und ich musste kreativ werden,
in weitere Aquarelle und Aufzeichnungen verwandelte.

Tanzende Buchstaben und die Farbe Gelb oder andere.
Wenn man älter wird und malt
und sich nicht einmal einen Bildermaler nennt,
dann ist das Klecksen nur die einfachste Sache der Welt.
Es roch nach Fick, wo ich war,
und ob man sich wiedersehen wird
war nicht an ihnen und mir gelegen,
sondern an dem Zufall der die Straßen der Großstadt
mal wieder für Gerede sorgen ließ,
als wäre auch eine Maus ganz in der Nähe
in ein Loch gekrochen.
Ich selbst wurde die Maus und das Nest das ich mir baute,
war ein Nest in dem man elektrifizierte und elektrifiziert wurde.
Ich war ein Strolch, und wenn die Tage zu Tagen wurden
und die Nächte zu Nächten,
dann waren selbst die Versuche der Helden
nur ein idiotisches Gehabe für den Erfolg eines Kellners.

Der echte Dichter

Der echte
Dichter
zieht es nicht
vor
für seine Poesie
in den Krieg
zu ziehen,
er ist für
den Frieden
und will
in Ruhe gelassen
werden.

Der echte Dichter
ist ein Lump,
ein Versager
auf der Gewinnerseite.
Er schafft Brücken
um sie danach wieder
einzureißen.

Der echte Dichter
hat Träume
oder lässt andere
träumen.
Er spielt mit
den Geistern,
ist ein Untier,
ein Mann
als Clown,
kein Held,
sondern ein
Individuum.

Der echte Dichter
braucht keinen Hut
um sich Dichter
zu nennen.
Er braucht nur
manchmal Erfolg,
eine Dame
und ein paar Euro
für Wein, Zigaretten
und die ein oder andere Mahlzeit.

Der echte Dichter
stirbt arm
in der Gosse
in einem billigen Hotel.

Felix Martin Gutermuth

Die Villa zu Valentin

Die Villa
in der ich
mit meiner
Mutter wohnte
lag in Berlin-Neukölln,
am Hermannplatz.
Oft schmiss sie
mich raus,
um mich danach
wieder aufzunehmen.
Ich schlief dann
im Treppenhaus
oder im Hotel
eine Straße weiter ...
Ihre Flöte
nährte mich mit
einem Gift,

aber sie war eine Frau.
Ich hasste Männer
die Flöte spielen.
Ich war nun Anfang 30
und musste
auf eine Farm
am Rande von Berlin
um vom Alkohol zu entziehen,
eine gerichtliche Auflage.
Ich mochte diese Villa
und mein Zimmer
in dem die Wäsche
auf dem Boden verstreut lag ...
mein Bett, meine Matratze.

La dolce vita; ein Bordell
welches ich öfters aufsuchte
und es zuletzt mit einer blonden
aufnahm, von hinten.
Dichten und vögeln,
trinken und Hallejula,
Pint und die verflossenen Miezen.

Es war nun an der Zeit
auszuziehen,
Künstler zu werden,
Lebenskünstler ...
aber diese Villa
wird mir immer
in Erinnerung bleiben.

Felix Martin Gutermuth

Die Dame aus der verschobenen Stadt

Ich erinnere
mich an die Tage
mit Nora
am See
oder wie
sie mir den Pint
in der Umkleide
lutschte
oder wie ich sie
im Bett nahm
und aus dem Fenster blickte
in der Wohnung
nähe Friedrich-Wilhelm-Platz
in Friedenau.
Nora hielt
mich für einen Gott,
ein Monstrum,
Hans Dampf aus allen Gassen.
Ich versuche immer noch
sie anzurufen
und immer wenn sie sich
meldet und ich ihre Stimme höre,
bin ich froh zu wissen das sie
noch am Leben ist.

Felix Martin Gutermuth

Erst der Anfang

Kakao vom Warenhaus
neben dem Markt.
Vorbei am Friedhof
Vogelblick
auf die befahrene
Straße.
Karl-Marx-Straße.
Berlin, eine verseuchte
Stadt die du nicht loswirst.
Die Hölle hält den Atem an.
Ich atme die Luft
und dieser Kakao
zu einer Zigarette
auf dem Balkon
ist eine Party
die seinesgleichen sucht.
Im Trubel der Stadt
will ich in Ruhe gelassen
werden, Gedichte schreiben
und den Göttern
einen diktierten
Gedichtband
auf den Küchentisch legen.
Hier habt ihr euren Teufel,
euren Untergang,
meinen Untergang,
den Trottel
für die Missgeburten.

Felix Martin Gutermuth

Die Komik eurer Tragik

Die Komik
eurer Tragik
ist ein Elend
welches die
Coolness
meines Herrschertums
zu einem neuen
Land tendieren
lässt;
ein Land
in dem es keine Zuflucht
gibt,
ein Land
in dem die Fotzen
den Wein für
den Messias
zu einem hart
gewordenen Brot
trinken.
Und so sehr
ich auch Gläubiger
genannt werde,
ich glaube nicht an Gott,
und wenn es
einen geben
sollte,
würde ich ihm
ruhig entgegentreten
um ihm eine Backpfeife zu geben.
Felix est Valentin,
Künstler und Philosoph.
Der Norden
und das Klimata
in Californien,
der Westen

und sein Untergang.
Als Dichter
bist du nur eine Sissy
die den Kuchen
teilt.
Meine Frau
wurde mir weggenommen
und so ich oft neben
ihr aufwachte
bin ich doch froh
alleine auf den Brücken
zu tanzen.
Alleine für den Frieden,
alleine für den Sieg
über die menschliche Rasse.

Felix Martin Gutermuth

Der Klamauker

ich war ein Klamauker
End-West-Philosophie,
und Bier auf der Straße
trinken.
Kein Krieg, nur Frieden.
Die Cap von Boss
und die Schuhe von Puma.
Der Teufelstanz
ist mein, und er
wird am Ende siegen.
Billy Bagger,
faules Glitzer.
Ein Baltasar
in Dijon sitzt
am Bahnhof
mit Kleingeld.
Ich schlief in Dijon

auf einer
Wiese,
kam an
mit einem Zug aus Paris.
Trag das Herz
durch die Städte
und lass es pumpen
auf dem Weg
zu den Sternen.
Wendekreise,
Mathematik,
Jazz ...
hol die Dichter
aus dem Keller
und lass sie
besser werden,
besser als wir.
Sie wollen
meinen Tod,
ich will ihr Erbe.

Felix Martin Gutermuth

Mallorca

Sitzen auf dem Balkon,
mit einem Kaffee
und einer gedrehten Pueblo-Zigarette.
Ich mochte mich,
alleine auf dem Balkon,
in Jeans und Hemd,
am meisten von allen.
Das Chaos der Stadt,
und die Menschen,
die auf der Straße vorbeiliefen,
waren wie Nektar für mich.
So lebendig, desorientiert

kamen sie mir vor.
Familien ohne Sinn für das wahre Theater,
Idioten, die denken beim laufen,
und andere Dummköpfe,
die nicht wussten für was sie geboren waren.
Müll. Die Stadt war Müll.
Ein Haufen gezeugter Schwächlinge,
die mich einen Bücherwurm nannten.
Ich war kein Bücherwurm. Ich hatte aufgehört zu lesen.
Und selbst mich hatte die Müllabfuhr noch nicht entdeckt.
Alles war verrückt,
verdorben und selbst die Künstler,
von denen es eindeutig zu viele gab,
beschäftigten sich nur noch mit Themen
die mich zu Tode langweilten;
Autos, Hoffnung, Pathos etc. ...
da blieb einem nur noch das Saufen
und die Damen aus der Hölle,
die Sinn für meine Schreibe hatten.
Mir wuchsen Flügel,
wenn ich aus dem Keller trat,
und ein Lied sang, das so schräg war,
dass es selbst die Engel verzauberte.
Jazz und Rap war mein Piano.
Im letzten Jahrhundert
wäre ich bestimmt Pianospieler geworden.
Ich entschied mich für die Moderne.
Computer-Sound, Samples und Loops. Beat.
Im Bett war es doch am schönsten.
Liegen und aufstehen um zu pissen
oder sich einen Kaffee zu machen
und wenn es keinen Kaffee mehr gab,
Bier oder Sekt oder alles zusammen,
hintereinander.
Der Strom der Zeit
und die Kiffer aus der Hasenheide.
Ich möchte nicht schon wieder anfangen,
einen Lobgesang auf Neukölln anzustimmen.
Das machte ich schon oft,

aber Neukölln war wie ein Zirkus
in dem man Elefanten dressierte.
Dumme Elefanten und Artisten,
die auch nichts besseres
mit ihrer Zeit anzufangen wussten,
außer zu trainieren, für ein Publikum,
welches ihnen dafür Beifall gab.
Gut, sehr gut sogar.
Als Clown hast du es noch schwieriger,
als ein Bänker in der Krise.
Gedichte waren zum Hinfetzen gedacht,
um sich dann wieder schlafen zu legen
und sich was von Dizzy Gillespie anzuhören.
Ich ging unter in Deutschland.
Und wenn ich nicht gerade schlief
oder schrieb,
setzte ich mich auch mal
in einen Flieger nach Mallorca.
In der Tasche Aquarell um sie zu verkaufen.
Und selbst in Mallorca
war ich nur auf der Straße,
keine Bleibe.
Ich klaute Wein
und wurde erwischt,
aber der Ladenchef rief nicht die Polizei.
Mallorca war neben Paris der zweite Anlaufpunkt für mich,
um kreativ zu werden.
Mallorca, Mallorca,
ich komme wieder
mit dem Schiff.
Europatour
mit Jazztapes im Gepäck.
Mallorca, Mallorca
ich brauche dein
warmes Klimata.

Katastrophe

seit meiner Geburt
Katastrophe,
katastrophal
Kino
Kinoplakate
in der Wüste
eine schwierige Geburt.
Sollten wir unsere
Eltern dafür strafen,
dass sie uns
in diese Welt
gebracht haben?
Für nichts
und wieder nichts
all die ungelesenen
Bücher,
die nur von den
wenigsten ausgeliehen wurden.
All das Wissen
versammelt in
der Bibliothek
das keine Sau
interessierte,
aber dafür
war das Klatschblatt
ja da.
Hunger, fressen,
das große Fressen
im Dschungel.
Krieg kannte
man nur aus den Nachrichten.
Reise, Reise
bis zu den Sternen,
um dann wieder
ins Bett zu fallen

was echtes zu spüren.
Schlaf, viel Schlaf
und die sieben Leben
der Katze.
Geld war nur Nebensache.
Nackte Tänze
derer, die verdorben
waren,
verdorben wie ich
und der Rest der Welt.
Bierrausch und Zigarettenrauch,
alles zerfällt zu Asche
in einer Welt
in der ich es mir nicht
ausgesucht habe zu leben.

Felix Martin Gutermuth

Die Hütte auf der Farm

Die Farm,
auf die ich zog
lag am Rande
von Berlin.
Ich kam in einer
Hütte unter,
mit zwei
Bewohnern.
Ich hatte ein
Zimmer für mich.
Die westliche Welt
geht zu Ende dort.
Nur kaputte
und Außenseiter,
Irre,
und abhängige.
Ich hatte

aufgegeben
und arbeitete
im Garten
und versuchte
vom Alkohol
loszukommen.
Mindestens für ein Jahr
sollte ich dort bleiben.
Dort wo Niemand,
Niemand war,
draußen in der Schule,
welche die wahre Schule
war, und keine Universität.
Ich bin hier
her geschickt worden,
aus einem Grund
den ich noch nicht erkannt habe.
Peu a peu
dem Gefängnis des Todes
entgegen,
entgegen
mit dem Stechschritt
der Unvernunft.
Hemingway gab
sich den Kopfschuss
nachdem es mich sehnt.

Delirium,
Furcht,
Freiheit.

Felix Martin Gutermuth

Überego

Meine Lache
ist hässlich
mein Dasein
verdorben,
verdorben
seit Anfang an

mitten
im Chaos
habe ich
mich selbst
als meinen
schlimmsten
Feind erkannt

und es tut
gut zu wissen
das man anders war
als sie;
die, die sich
vor meiner
Eigenheit schämten
und mich für mein
Liebesleben
in die Hölle schickten

ich weine noch
einmal für
alle die kämpfen
und die der
Neid zerfrisst.
Brauchte
die Welt noch neidische
Menschen?

ich hatte Frauen
und ich hatte Freunde,
ich hatte wenig Geld
aber immer genug
Power um zu atmen,
zu atmen durch Kiemen,
genug Power um zu überleben

alles was sie
von mir haben wollen
sollen sie haben

stolz und mit Muskeln,
fröhlich und am singen,
wie ein Vogel der
der Freiheit entgegen
fliegt

schenkt mir eure Lügen,
ich heirate noch einmal
die ganze Welt
und falls ich morgen
sterben sollte:
Fick, ich war da

der beste Dichter der Welt

Felix Martin Gutermuth

Die Krabbe

die Krabbe,
ein gedemütigtes
Dasein,
ich,
und ihr
wir
und der
Rest der Welt,
Freund von
Hymnie
dem Ochsenfrosch,
Henry Miller,
Billy the Kid,
Bukowski,
Maurice Batras,
Ira Kane,
Paul Arena,
Hemingway,
Knut Hamsun,
Celine,
Moldorf,
Anais Nin,
Nora,
Lara,
Juny etc…

Erotika Extasus,
Land Fick,

Neuland.

Felix Martin Gutermuth

Blues für die Blonde & die drei Engel

Auf der
Wiese
am Rhein
in Mainz
mit ein
paar
5,0 Original
Bier,
ein billiges
Bier,
und
die Sonne
scheint
mir ins Genick
und
das Bier
setzt zu,
erbaut
sich im
Körper.
Da ist
der Rausch,
und neben
mir tanzen
drei junge
Frauen
wie Engel
die zu mir
geschickt
wurden,
zu einem
Song
aus dem
Radio.
Ich

schaue
ihnen
zu
und
denke
mir,
dass
ich es mit
allen dreien
aufnehmen
würde,
aber
ich bin
zu faul
sie
anzusprechen,
und trinke
noch einen
Schluck,
und lege
mich hin
und
in meiner
Brust
sitzt
ein Vogel
der raus
will,
er singt
schön, schon
seit Jahren,
ich kippe
Bier auf ihn
und lasse
ihn weiter
singen,
singen
in meiner
Brust,

da am Rhein
auf der
Wiese
und alles
ist erträglich
für einen
Moment,
fast schon
zu schön.

Ich stehe
auf,
das Bier ist
leer,
und schlendere
zum Supermarkt
um mir neues
zu holen.

Mainz ist
gar nicht so
übel,
dafür,
dass es
eine Kleinstadt
ist, und
ich ein Kind
aus der Großstadt
bin

ich denke
an Nietzsche
& zünde
mir eine
Zigarette an
& trinke
das Bier
& setze mich
in den Park

& warte
& singe
den Blues
für die blonde
auf dem Fahrrad

keine Hoffnungen,
keine Zuflucht,

ich bin
der glücklichste
Mensch der
Welt

Tom Eriel

Das Haus am Bahnhof

Nach Leipzig bin ich gezogen,
mitten in die große Stadt,
wo man ohne Wiesen und Bäume
nur Freude an Gebäuden hat.

Statt eines Waldweges führt am Heim
eine Schnellstraße, die Autofahrern Freude macht
sicherlich extra zum Erreichen
der Trefferprämie der Versicherung gedacht…

Das Haus in dem ich jetzt wohne,
das ist nicht besonders schön,
ein Betonklotz, ein reiner Zweckbau eben,
wo die Leute auf die Reise gehen.

Wohl nicht nur rein symbolisch
neben dem Bahnhof erbaut,
denn auch hier fahren Züge ab,
nur ohne Wiederkehr.

Tom Eriel

Ode an die Residenz

I

Es ist so schön,
so wunderschön
hier im Heim zu sein -
und kann gar nicht versteh´n
wieso keiner will hinein
in das Paradies auf Erden,
wo man für dich denkt und macht
(oder auch nicht),
hier möcht´ ich mal begraben werden.

II

Du wirst geweckt
früh halb sieben, - wie in der Kaserne -
doch der Frühstückstisch erst halb neun gedeckt,
- das tägliche Einerlei.
Den Sonntag hat man ganz besonders gerne
- das steinhart gekochte Frühstücksei.
Doch das sehen wir nicht so verbissen, -
der Nachbar, der noch ne zweite Tasse Kaffe wollte,
erst mal ganz kräftig angeschissen,
dass es doch für alle reichen sollte.

III

Und etwas später dann
ist auch das Mittagsmahl heran.-
Eine köstlich duftende Hühnernudelsuppe
mit überschaubarer Fleischeinlage
und noch überschaubarerem Fettaugenanteil
- das Hauptgericht
wo die meisten dachten - eine Vorsuppe
und hungrig geht man von dannen ...

IV

Doch bald schon kommt Vesperzeit
und hält ein Stück Kuchen bereit.
Es zeigt sich, wo man sparen kann
- aus eins mach ein Viertel ist die Devise.
Und ein Kaffe in der Kanne von Tchibo,
- aber wo Scheiße drauf steht,
muss noch längst keine Scheiße drin sein
- ein Zwischending
zwischen Bucheckern und Muckefuck.
Nichts ist unmöööglich,
aber auch nicht schmackhaft.

V

Unbestrittenes Highlight des Tages - das Abendessen
mal fehlt`s an Brot, mal an Butter,
das Angebot auf dem Teller ist sehr bemessen,
ne Scheibe Käse und ne Scheibe Wurst,
Abend für Abend, genauestens abgezählt,
eintönig, ideenlos zusammengestelltes Futter
ungesüsster Kamillentee gegen den Durst.
- Mehr haben unnütze Fresser nicht zu kriegen,
die nur faul den ganzen Tag im Bette liegen.
Obst scheint auch irgendwie Mangelware
wie in alten Zeiten.
So sind wir alle zwar ein bisschen gleicher,-
dafür werden ein paar Leute an uns
mächtig reicher ...

Tom Eriel

Die kleine Königin

„Nur die es auch wirklich erlebt haben,
sind berechtigt darüber zu urteilen."

Erhabene Königin
auf flacher Stirn
die funkelnd güldene Krone.
Deine Hässlichkeit überstrahlend
Mit ständig dümmlichem Lächeln
und nichtssagender Miene.

Wandelnd durch die
nach Scheiße riechenden Gänge
deines Reiches der Idioten
von denen du lebst -
in einem Kittel, der einer
Putzfrau alle Ehre macht.

Und graue, hinterlistige Ratten,
die ihre kadavergehorsamen Vasallen.
betriebsam durch die Korridore strebend
um eine jede Äußerung zu registrieren
und schriftlich zu dokumentieren.
MfS wäre so stolz auf euch.

Ein System der Überwachung
den Apparat des Geldmachens
in Gang zu halten
und zu schützen
vor innen und außen
mit der Maske der Humanität.

Tom Eriel

Widersinn

In der Schule
waren sie nicht gerade die Hellsten
und ihre Leistungen schwach
kaum den Abschluss der Hauptschule
gerade so geschafft
mit Ach und Krach…

und man war froh
in der Altenpflege
eine Lehrstelle zu finden.
Das Wegräumen von Scheiße
im Akkord…

Kollateralschäden
hier wahrscheinlich
am geringstem
und unauffälligstem.
Nur jetzt sollen sie
kaum des Lesens und Schreibens mächtig
Einschätzungen anfertigen
und dokumentieren
über Menschen
für Behörden und Institutionen
im Namen der Pflege.

Tom Eriel

Was Pflegeheime wirklich sind

Vollkommen klar
in unserer heutigen Zeit
die gegenwärtige Generation
im Kampf um den Wohlstand gebunden,
so die Pflege der Alten
zur Unmöglichkeit geworden,
zumal wir Alten
zu nichts mehr nütze,
kein Steigerer des Bruttosozialproduktes mehr
nur noch Verzehrer…
Zumal einstige Leistungen - das ist Geschichte,
die niemand mehr hören will
in der heutigen Zeit.
Eigentlich müssten wir
doch glücklich sein,
dass man uns
als unnütze Esser
nach am Leben lässt. ---

So ist´s wohl eher so,
Heime für Senioren sind nicht
zur Pflege da
(Wie lange will man eigentlich
noch leben ---?)
die reinste Verschwendung
gesellschaftlicher Ressourcen.-
Eher gedacht als
Aufbewahrungsanstalt der Alten,
für die sie selber
aufzukommen haben
und Alibi
der Gesellschaft…

Tom Eriel

Etikettenschwindel

Früher als ich noch
ins Freudenhaus ging -
die Freude, die ich da erfuhr
auch an dem Obolus hing
den ich bereit war da zu geben.
Und die Damen taten
unabhängig von
Alter, Aussehen oder Lust,
was mein Herz begehrte.
Und ich wußte,
wohin ich eben ging.

Heute nun
Ins Pflegeheim gebracht
Und dass es das *Heim*
mit *Pflege*
für den Rest der Tage wird
wohl reichlich falsch gedacht.
Trotz Kohle
Gibt es keine Pflege,
denn Pflege heißt gesunden
und das will niemand hier
nur schnelles Sterben.

Nur schnelles Sterben
Um Platz zu schaffen
Für die nächsten…
Der Andrang
ist riesengroß.
D`rum soll auch niemand
heimisch werden
urgemütlich und bequem.
Es könnt ja Lust entstehen
noch weiter zu leben
hier im Sterbehospiz.

Tom Eriel

Wertlos

Die da drinnen
das Sehnen nach draußen
angelangt auf der
untersten Stufe
der Hierarchie
der Gesellschaft.
- Noch unter der
Eines verurteilten
Gesetzesbrecher.
- Verloren
die Ware
Arbeitskraft.

Evelyn Clark

In der Dunkelheit der Nacht

Siehst du die Sonne untergehen, in der weiten Welt.
In der Dunkelheit jener Nacht,
spiegelt sich dein Leben wieder.
Mit einer tiefen Berührung einer Macht.
Hörst du dieses leise Weinen,
– Es berührt die Nacht –
Denn die Zeit ist gekommen,
Zeit der Verlorenen ist erwacht.
Im Schimmer des Wassers
– Schleier der Nacht –.
Siehst du den Mond am Himmel leuchten,
er ist der Herrscher des Dunkels, der über dich wacht.
Nur er weiß, warum du hier bist,
warum du manchmal traurig bist,
woran du oft gedacht.
Es ist dein Mond, er hat die Macht,
einer sanften Berührung die dich wärmt,
er ist jene Berührung deiner Seele,
deines Lebens.
Er gibt dir die Kraft.
Schleier und Nebel bedecken das Dunkel der Nacht,
er kommt zu dir
– erleuchtet Dein Herz –
Denn Zeilen, die aus dem Herzen kommen,
finden eine Melodie.
Mit einer Träne von mir, in den Schlaf gesummt.
Wird die Nacht des Mondes dich berühren.

Evelyn Clark

Musik

Ich höre diese Musik,
eine schöne kraftvolle Musik – wie du.
Mir rollen Tränen über mein Gesicht, es ist deine Musik
und ich denk an dich.
Sie tropfen auf dieses Papier,
entfalten sich – schreiben diese Zeilen hier.

Was ist passiert, was ist geschehen.
Werde ich dich je wieder sehen,
Und der Mond scheint hell.
Im Nebel seines Schattens, sehe ich dein Gesicht.

Kein Zeichen, kein Hoffen, kein Leben von dir.
Ich bete zu Gott – doch der Himmel ist leer.
Hilfeschreie in der Nacht,
und eine Seele versinkt, ein Körper zerbricht,
im Schatten des Mondes ein heiliges Licht.

Und du sprichst zu mir, in einer Heiligen Nacht.
Das Wimmern verstummt – wenn das Schicksaal dich ruft
und der Tag erwacht.

Evelyn Clark

Das bin ich

Der Wind streicht über die Wiesen der Unendlichkeit,
er grüßt die Sonne und singt dir ein Lied.
– Flüstert deinen Namen –
Sie singt von Liebe und Zärtlichkeit, Vertrauen und Güte.
Er trägt es fort, weit in die Ferne.
Verstanden von der Welt, angebetet von dem Leben.
Es ist nicht viel, doch es ist von mir.
Es ist alles was ich hab,
mehr kann ich dir nicht geben.
Es ist ein kleines doch wohlbehütetes Geschenk,
es ist mein Leben.
Ein leuchtender kleiner Stern am Himmel,
der immer an dich denkt.
Er ist wie ein Lächeln, das deine Seele berührt.
Es ist jene Berührung der Dunkelheit mit der Nacht,
ich schenk es dir.
Am Tage mein Lächeln.
In der Dunkelheit meine Augen
– die dich behüten –
wie tausende von Sternen aus dem dein Stern erwacht.

Evelyn Clark

Sehnsucht der Liebe

Ein Kuss voll Sehnsucht und Zärtlichkeit,
rauben dir jedes Gefühl.
Zärtliche Blicke streicheln dein Gesicht,
und es ist wie ein Traum.
Ein Lächeln das deine Seele berührt,
Herzen die der Mond verführt.
In der Ewigkeit jener Nacht, waren wir uns so nah,
im Schatten eines jeden Momentes,
vergaßen wir was in Wirklichkeit war.
Doch die Sterne am Himmel waren dabei,
Sie wissen was mit uns geschah.
Gefangen in unseren Gefühlen, wilden Phantasien,
und niemand dachte nur in dieser Nacht,
was geschehen würde, wenn der Tag erwacht.
Moment eines Gedanken, dem Zauber der Nacht.
Verloren in Liebe, vergraben in Angst,
und Sehnsüchte schwinden in Tränen
durch die Einsame, stille Nacht.

Evelyn Clark

Liebe die sie einst berührte

Liebe die ihr Herz berührte,
stand einst für die Ewigkeit.
Blicke die sie einst verführten – Zeit einer Vergangenheit.
Gedanken die sich nie verlieren,
Glaube einer Wirklichkeit.
Gefühle die mit dem Schicksaal spielen,
bestimmen ihre Zeit.
Erinnerung kommt aus dem Herzen,
du bist nicht allein.
Deine Tränen, Ängste, all dein Unglück deines Lebens
gehören zur Vergangenheit.

Für die Liebe gelebt

Ich bin verzweifelt im Innern zerstört,
vollkommen zerrüttet,
denn Amor hat mir wieder die falsche Liebe vermittelt.
Es tut so weh, es ist gemein.
Das ganze Leben, ich kann nichts sehen,
vor Liebe blind.
Die Liebe ist wie der Wind,
sie kommt und weht davon, hör doch.
Die Liebe ist wie der Wind,
sie kommt ganz sacht, verwandelt sich in Sturm,
vielleicht zum Orkan.
Sagt, was hab ich getan.
Hab ich Unrechtes getan, wurde besiegt
 - denn ich habe geliebt -.
Doch was ist geblieben.
Ein paar Scherben des Glücks,
ich habe sie oft zusammen gefügt.
Denn ich habe dich geliebt.
Jetzt lass ich sie liegen, die Kannten sind scharf.
Ich kann sie nicht zusammensetzen,
habe Angst mich daran zu verletzen.
Du hast mich benutzt.
Bis ans Ende meiner Kräfte, alles ist leer und verbraucht,
Wie einer deiner Zigaretten ausgedrückt und aufgeraucht.
Als ein Lüftchen Wolke am Himmel geschwebt,
Ich habe für die Liebe gelebt.

Isabelle Gallien

Wir reichen Euch die Hand

Wir Menschen leben auf Zeit auf dieser Welt,
die einen in einer Villa, die anderen in einem Zelt.
Viele Staaten ziehen Grenzen, bauen Mauern
an denen viele Gefahren lauern.
Die Schlauen haben es längst registriert,
dass die Menschheit ohne Toleranz verliert.
Mit Menschlichkeit und Solidarität
wissen die Klugen, dass es stets weiter geht.

Auf unserer kurzen Lebensreise
brauchen wir Freunde, das ist weise.
Wenn Fremde sich die Hände reichen,
dann geben sie sich ein Zeichen.
Den wahren Wert der Freundschaft müssen sie erkennen
und sich dazu dann auch bekennen.

Wir retten Menschen aus dem Boot
und helfen ihnen aus der Not.
Nehmt den Geflüchteten die Bürde
und gebt ihnen zurück ihre Würde.
Den Flüchtlingen zeigen wir unser schönes Land
und reichen ihnen somit unsere Hand.

Wir schenken Euch Güte und Barmherzigkeit,
dann ist die Integration nicht mehr weit.
Wir unterstützen euch, wo wir nur können
und werden euch ein Leben in Frieden gönnen.
Ihr kommt aus einem Land, da herrscht Krieg und Not,
darum teilen wir mit euch unser tägliches Brot.

Ihr habt kennengelernt sehr viel Not und Leid,
wir schenken euch unsere Geborgenheit.
Es hängt von euch ab, uns eure Hand zu reichen,
dann habt ihr die Chance, viel zu erreichen.

Isabelle Gallien

So ist das Leben

Heute Scherzen, morgen Schmerzen
gute Besserung von Herzen.
Heute Frohsinn, morgen Trauer,
nichts im Leben ist auf Dauer.
Das Leben ist wie eine Welle,
es treibt dich immer von der Stelle.
Wir hasten und rasten
haben Freude und Lasten.
Heute Kummer, morgen vor Freude schweben,
mein Freund, diesen Zustand nennt man Leben.

Aber das Wichtigste ist im Leben,
den Armen geben und Schuld vergeben.
Gutes tun und Freude bereiten,
heute, morgen und zu allen Zeiten.
Die Tage kommen und vergehen,
bleib‘ tapfer bis zum Wiedersehen.

Isabelle Gallien

Sorgenfreier sonniger Sommertag am Strand

Hitze bräunt meine Haut,
ein Spaziergang am Strand
lässt meine Gedanken schweifen.
Muscheln schaukeln im Wellengang,
die Musik der Wellen beflügelt mein Gefühl,
und ich bin glücklich.

Lärmende Kinder
genießen die Kühle des Wassers,
leben im Hier und Jetzt
vergessen Zeit und Sorgen.

Isabelle Gallien

Sommermorgen

Sommermorgen, Sommerglück,
genieße deinen Tag, genieße den Augenblick.
Der Tag ist voller Vielfalt, voller Freude,
Schönheit und Glück.
Genieße die Vielfalt der Natur, genieße den Sommer.
Erfreue dich an der Farbenpracht und dem Duft
der Blumen.
Ein Engel begleitet dich durch den Tag, durch den
Sommer, durch das Jahr und trägt dich und
schafft alle Sorgen fort.

Sommermorgen, Sommerglück,
Vorfreude auf den nächsten Sommermorgen.

Isabelle Galhen

Wonnemonat Mai

Tulpen, Rapsfelder und Flieder,
endlich blühen sie alle wieder.
Die Welt ist bunt, der Mai ist da,
es singen Amsel, Fink und Star.
Alles blüht, die Sonne lacht,
die Natur ist sanft erwacht.
Im Garten sprießt die erste Saat.
Das Grün ist zart, die Hoffnung naht.
Dieser Monat kann verwöhnen,
an ihn kann man sich gewöhnen.

Bleib‘ bei uns noch eine Weile!
Zieh‘ nicht fort von uns in Eile!
Denn bist du fort, dauert‘s wieder ein Jahr,
bis der Traum vom Mai wird endlich wahr.

Lea Sankowske

Oh du Poet

Weißt du, oh du Poet, dass dir mein Herz gehört?
Dass jedes deiner Worte eine fremde Welt
vor meinen Augen erscheinen lässt,
weil jedes deiner Worte wie ein Montagsmaler ist?
Dass alle Farben intensiver werden,
weil du alles in Poesie verwandelst,
was du durch deine stürmischen
und doch so sternenklaren Augen betrachtest?
Dass du mir immer die Motivation bist
etwas Besseres zu sein, als ich bin,
nur weil du das Beste bist, was ich kenn?
Dass alle Bruchstücke sich in deiner Gegenwart
zu einer Welt zusammenfügen,
die perfekt ist, nur weil du bist?
Wie könntest du.

Ellen Philipp

Elfen

Unheimliches Gewisper in Büschen und Bäumen,
Baumelfen ganz sicher drin träumen!
Wovon? Wer weiß? Sie verraten es nicht.
Sie zeigen ja tatsächlich nie ihr Gesicht,

sind verborgen im Dunkel; ich kann sie nicht sehen.
Wie soll ich die Elfen dann aber verstehen?
Was treiben sie nachts? Wo fliegen sie hin?
Hat ihr Leben überhaupt einen Sinn?

Ganz sicher schweben sie unendlich leise;
ziehen im Wald ihre flüchtigen Kreise.
Frieren sie nie an den zarten Flügeln?
Spielen sie Pferd und Reiter mit Zügeln?

Wo sind sie am Tage, wenn die Sonne warm scheint?
Wo steht ihr Haus, in dem alle vereint?
Bestimmt im Wald, ganz tief in ihm drin,
da findet sich ja kein Wand´rer je hin.

Im Dickicht versteckt unter Laub, Gras und Moos
schlafen sie still. Wer schnarcht denn da bloß?
Wahrscheinlich der Elf der alten Buche,
den ich schon sehr lange dort suche.

Ich war schon so oft hier und hab mich verlaufen.
Ich würde die Elfen ja einfach verkaufen!
Ein Handel mit Nymphen, Geistern und Feen.
Das wär mal was! Dann könnt ihr sie sehen!

Ihr ganzes Geheimnis, es wäre dahin,
doch Reichtum und Geld haben auch ihren Sinn!
Ich müsste sie fangen und dann hinter Gittern –
wie würden sie ach, um ihr Leben nun zittern.

Aber nein, Tags schlafen sie nur.
Sie leben ja nicht nach unserer Uhr.
Wie wäre das langweilig, stumpfsinnig, öde.
Nein, diese Idee ist doch ziemlich blöde.

Mit Elfen geht´s schlecht Geschäfte zu machen.
Es ist vermessen; ich hör sie schon lachen.
Ein echter Elf ist mal hier und mal dort.
Er gleitet so schnell an ´nen anderen Ort.

Du glaubst nur, du hättest einen erblickt,
doch er ist so flink, so zart und geschickt.
Erscheint dir vielleicht in deinen Träumen
und lebt sonst friedlich in seinen Bäumen.

Das wusste ich schon, als ich begann zu dichten.
Ich sollte es lassen mit Elfengeschichten!

Ellen Philipp

Winter am Meer

Atem in Wolken, steinharter Sand
Gefrorene Wellen liegen am Strand
Rotglühende Nasen in eisiger Luft

Riechen den Tang und den Meeresduft
Stiefel zertreten Muscheln zu Staub
Tang in Büscheln wie trockenes Laub
Welle reibt Steine zu sehr feinem Sand

Kraft des Wassers wird sehr oft verkannt
Ohne den Wind liegt es flach, fast wie Glas
In winzigen Dellen schimmert es nass
Am Ende der Bucht bricht die Küste hernieder
So wie heute, sehe ich sie nie wieder

Gebet

Lieber Gott, gib mir ein Zeichen, dafür, dass es dich gibt,
denn ich denke immer, dass du mich gar nicht sehr liebst.
Ich habe noch niemals gebetet und zweifle an Deinem Sein.
Doch immer, wenn es mal schwer wird, dann wär ich nicht gern allein.

Lieber Gott, gib mir ein Zeichen, dafür, dass es dich gibt.
Ich möchte doch so gern dran glauben, dass du mich tatsächlich liebst.
Ich hab doch so gar keine Ahnung von Geboten, Psalmen, dem Wort.
Ich wünschte mich in einer Kirche nur immer schrecklich weit fort.

Lieber Gott, gib mir ein Zeichen, dafür, dass es dich gibt.
Ich möchte dich so gern erreichen, schrieb dir dazu dies Lied.
Es handelt von Heilung, Verstehen, von Hingabe, Glaube und Mut,
von Sorgen, von Nöten, Bedenken und auch von meiner Wut.

Lieber Gott, gib mir ein Zeichen, dafür, dass es dich gibt.
Ich möchte dich so gern erreichen mit meinem so zaghaften Lied.
Ich möchte so gern wieder lieben und lachen und fröhlich sein
und wissen, auch wenn ich allein bin, so bin ich doch nicht allein.

Lieber Gott, ich brauche kein Zeichen, dafür, dass es dich gibt.
Ich kann dich auch anders erreichen, z. B. mit diesem Lied.
Ich weiß, es wird mich tragen in unbekannte Höhn.
Ich werde mir gar nichts versagen und dich irgendwann sehn.

Ellen Philipp

Kranker Mann

Wartezimmer proppe voll.
Ewig ich hier sitzen soll?
Was denn sonst? Bin nicht bestellt.
Zu den andren mich gesellt.

Müde senken sich die Lider.
Schwäche fällt auf meine Glieder.
Keine Lust zur Zeitungsschau.
Adelsblut ist niemals blau.

Kopf lehnt an die Wand sich an.
Warum bin ich noch nicht dran?
Sitze hier schon manche Stunde.
Sehe trübe in die Runde.

Jetzt kommt doch Bewegung rein.
Kriege ich ´nen Krankenschein?
Fühle mich unendlich schlapp.
Luft hier drin wird langsam knapp.

Schweiß quillt schon aus allen Poren.
Was hab ich hier nur verloren?
Ich will nur noch in mein Bett.
Nur da drin ist´s wirklich nett.

All mein Sehnen ward erhört
und das Warten jäh gestört.
Endlich werd´ ich aufgerufen.
Komme kaum aus meinen Hufen.

Schlurfe durch das Schniefen, Schnaufen.
Ach, es ist zum Haare raufen:
Dieser Kreislauf läuft im Kreis!
Ich auf einmal nichts mehr weiß.

Liege plötzlich auf der Liege.
Ob ich diesen Schein jetzt kriege?
Oder bin ich ernsthaft krank?
Nein, ich muss in meine Bank!

Zu den vielen treuen Kunden!
Manche kommen auch mit Hunden…
Wer soll die denn sonst bedienen?
Wie kann ich mein Geld verdienen?

Ach, egal! Es geht grad nicht.
Grelles Licht stört mein Gesicht.
Rufen, Rütteln, Beine oben,
kaltes Wasser, Schwester loben?

In mein Dasein geht´s zurück.
Hatte nochmal großes Glück.
Ohnmacht vor der Ärztin Augen
wird zu läng´rem Kranksein taugen.

Aber ist das alles richtig?
Meine Arbeit wirklich wichtig?
Sollte ich mal kürzer treten?
Für mein Seelenheil beten?

Oder um Gesundheit bitten?
Brauche ich den schicken Schlitten,
der vor´m Haus steht, protzig, rot?
Wer fährt ihn, wenn ich bin tot?

Ach so schnell werd´ ich nicht sterben!
Mist! Ich habe keine Erben!
Kinder? Nervig, frech und klein?
Lob mir mein Alleinesein.

Enkelkinder zum Bespaßen?
Krabbeln über´n Englandrasen?
Knicken Halme? Rupfen Blumen?
Essen gar der Erde Krumen?

Aber alle diese Lütten
fänden toll den flotten Schlitten.
Könnten um die Ecken flitzen
Häuser bauen, Bäume ritzen.

Wofür doch die Ohnmacht gut!
Werde nehmen meinen Hut;
meiner Freundin Kinder machen.
Mit ihr um die Wette lachen.

Geld wird schon ´ne Weile reichen.
Krankheit war das richt´ge Zeichen.
Endlich leben! Nicht nur streben!
Und mein Dasein weitergeben.

Ellen Philipp

Radtour

Ach, wie ist das Wetter schön,
Lass uns schnell nach draußen gehen!
Doch nur sitzen in der Sonne
Ist nicht meines Mannes Wonne.

Unbewegt? Ja welch ein Graus!
Schnell holt er die Räder raus.
Auf die Piste geht‘s geschwind.
Aber nur mit Rückenwind!

Was war das? Ein spitzer Stein?
Vorn ein Platter! Muss das sein?
Schnell geflickt und wieder drauf.
Und nun geht‘s auch noch bergauf!

Schaufe, stöhne, trete rein.
Nie kann ich die Erste sein!
Immer hechlich hinterher!
Meine Beine schon ganz schwer.

Doch dann eine flache Strecke,
bis dort vorn, bis an die Ecke,
zieh ich schnell das Tempo an.
Ja, wo bleibt er denn, Mein Mann?

Hat so vor sich hin geträumt,
mir den Vorsprung eingeräumt.
Doch wer hat hier Kondition?
Meine endet leider schon.

Schell zieht er an mir vorüber,
Tja, so geht das immer wieder!
Kann ich machen, was ich will!
Im Geheimen denk ich still:

Gönn ich ihm den ersten Platz?
Mach ich doch nochmal Rabatz?
Wie soll ich mich motivieren?
Lässt mich immer nur verlieren!

Nein, so schlimm ist‘s wirklich nicht,
Bin zwar knallrot im Gesicht,
Schwitze, müffle, streng‘ mich an,
Freu mich, wenn ich sagen kann:

Diese Radtour, die war schön!
Landschaft hab ich auch gesehen.
Frische Luft und Sonnenschein
Nur das Zittern in den Bein‘n!

War wohl doch etwas zu weit?
Aber schön war es zu zweit!
Jetzt lockt mich die Badewanne
Werde ‘raus schwimm‘n volle Kanne!

Ellen Philipp

Mein Stern

Schneide ein Viereck aus gold´nem Papier!
Nimm ein Lineal, dann die Schere dafür!
Bevor du es faltest, sieh es dir an.
Stelle dir vor, wie er leuchten kann.

Falte ihn, schneide ihn, klebe ihn fest!
Mach einen zweiten aus dem Goldpapierrest!
Schieb sie zusammen, genau über Kreuz!
Ich seh´ es dir an, wie du dich schon freust.

Er wird glitzern und funkeln im Kerzenschein.
Ich mache auch ein´n; er ist nicht allein.
Ein Baum voller Sterne soll leuchten heut Nacht.
Wir haben keinen umsonst gemacht.

Sie funkeln und strahlen in Rot und in Gold,
sind blank und so edel, genauso gewollt.
Das Licht vieler Kerzen sich in ihnen bricht.
Ein Singen und Herzen im Weihnachtsbaumlicht.

Doch auch wenn vorbei ist die heilige Zeit,
denk ich an den Stern, macht Freude sich breit.
Den Rest des Jahres liegt er im Karton,
auf den nächsten Auftritt wartet er schon.

Die Jahre verflogen, die Zeit schnell verrann,
nun bald mein Enkelkind basteln kann.
Die Tradition – viel wert ist sie mir.
Ich gebe sie weiter: zu dir und zu dir.

Immer aufs Neue lasst Sterne uns falten,
verbunden in Frieden, die Jungen und Alten.

Giovanna Leinung

Des Teufels Universität

Eine Lehre allgemein,
wendet sich dem andern zu,
kam vom andern ja heraus,
lässt den Frommen je allein.

Korruption und großes Leid
ward gelehrt in einem Zug,
war der Lehrer nie gescheit,
war es jedoch nur Betrug.

Doch kam zu spät die wahre Sicht,
gerichtet wurd' vor langer Zeit,
dachte an die gute Schicht,
war es nur der Nacht ihr Kleid.

Man glaubte es, weil man es wollte,
es klang zu jeder Zeit auch gut,
überlegte niemals was man sollte,
entfachte so des Teufels Glut.

So lehrte man nun Tag für Tag,
Dinge, die doch jeder mag,
mit der Souveränität
an des Teufels Universität.

Giovanna Leinung

Schicksal

Klage nicht, wenn Unglücksboten,
spottend aller Freuden Plan,
über deine Seele zogen,
klage nicht das Schicksal an!

Warum haderst du mit düstren Mächten,
Die in finstrer Ahnung ruh'n?
Mit den Menschen musst du rechten,
und mit deinen eignen Tun.

Deine Hoffnung sanket nieder,
weil du hast sie nicht gestützt,
deine Liebe kam nicht wieder,
weil dein Arm sie nicht beschützt.

Ach, und deiner Seele Frieden,
ist er nicht durch dich zerstört?
Du hast nicht die Schuld gemieden
und nicht der Tugend Ruf gehört.

Ruf nicht laut in Finsternissen,
in des dunklen Nebeldunst!
Eure höchste Macht ist Wissen
und das Totsein eine Kunst.

Deshalb kämpfe statt zu klagen!
Schicksals Macht und Schicksals Gang;
wird das eigne Tun und wagen,
zu der Menschen Kampf und Drang.

Giovanna Leinung

Hoffnung oder Verzweiflung

O verzweifle nicht an Finsternis,
ob getäuscht auch viel und oft,
löst sich jedes Hindernis,
plötzlich dir und unverhofft.
Ungerührt vom Klagen, Weinen,
wie's auch ewig zögern mag,
einmal wird es doch erscheinen,
einmal kommt sein Wonnetag.

Tränen lassen kalte Spuren,
keines Gläubigen Vertrauen,
kann's erblühen auf den Fluren,
von den Sternen kann es tauen.
Aus den Augen kann es regnen,
wie ein fallend Rosenblatt,
plötzlich kann es dir begegnen
mitten im Gewühl der Nacht.

Wenn sich in der Wüste Schweigen
Ganz dein Mut verloren glaubt,
wird sich's dann doch zu dir neigen
wie ein liebeflüsternd Haupt.
Wo sich bricht an Friedhofsmauern,
der Verzweiflung banges Fleh'n
wird reichlich spätes Bedauern
plötzlich in die Seele weh'n.

Sahst du dann das Leben schwinden,
und es bleibt dir unerfleht,
wenn die Leben sich dir winden
nimmer kommt es ja zu spät.
Noch Luzifer kann es entzücken
denn noch in der Todesstund'
kann es seinen Kuss dir drücken
segnend auf den bleichen Mund.

Giovanna Leinung

Stagnation

Man könnte denken, wir sei’n weit,
weit voraus für unsre Zeit,
doch öffnet man mal seinen Blick,
erkennt man: Wir sind weit zurück!

Die Stagnation, die frisst hier,
nur gelenkt von Geld und Gier
unser Streben, unser Sein,
doch Nutzen wirklich bringt sie kein’!

T.

Die amerikanische Präsidentschaftswahllandschaft
offenbart Abgründe.
Geld – Macht – verbale Entgleisungen.
Inhaltssuche – Findung – wenig dokumentiert.
Schlagabtausch auf geringem Niveau –
wo die Frage nach kluger Regierfähigkeit
trocken im Halse stecken bleibt.
Keine Erklärungsnot – reines Kopfschütteln.
Polit-Talk mit persönlichen Beschuldigungen.
Schimpfworte – Lügen – desaströses Argumentieren.
Grabschen – nicht nur mit Worten.
Geldpoker das sich alles erlauben will.
Grenzenlos übergriffig.
Wissen um Politik – Diplomatie oder Länderwissen
Fehlanzeige.
Beweglich in medialen Szenerien.
Effekt heischend.
Sich selbst demaskierend –
ohne es mitzubekommen.
Frauen-Handlungs-Bilder die Mann
auf seinem Macht-Thron
perfide fies
mit billigstem Freifahrtschein
gerne lippenlos verkaufen möchte.
Gebilligt. Gewissenlos.
Reales reflektieren – lernen – erkennen
nicht vorhanden.
Aalt sich selbstgefällig
mit reißerischen Slogans
in Selbstbeweihräucherung.
Wählerfahnen wehen im Stimmungswind.
Blinde unter Tauben?
Beängstigende Vorstellungen von regiert werden
einer Weltmacht von…?!
Wortdunkelheit greift um sich.

Respekt – Höflichkeit – Akzeptanz und Würde
fehlen in diesem repräsentierten Verhaltensmantel.

Abschreckende bis Ekel erregende
Schimpfwort-Kanonaden
die hirnlos in die im Wettkampf befindlichen Parteien
wie Außenwelt
verballert werden.
Wohlgemerkt es wird geworben –
ja gebuhlt – um das höchste Amt Amerikas.
Vorzeigbare Befähigte einer Weltmacht?
Die Eine mag keiner in Amerika -
der Andere scheint seinen
Verstand an einer verabschiedenden Garderobe
unbemerkt abgegeben zu haben.

Gänsehaut säende Gruselvisionen
finden Gegenwartsgewicht.
Wahlarena Amerika 2016
Brot und Spiele für wen bitte noch?
Absolutes Armutszeugnis
und ein
Game Over
zeitaktueller Geschichte.

Beate Loraine Bauer

Germanwings Flug 4U9525

Zerschellte Lebensträume – Gaben und so viel mehr.
Einzelschicksale, die nun ihre lebendige Greifbarkeit
für immer verloren.
In Sturmböen haften Nachrichtenwellen
erzeugen Bilder – Schlagzeileninformationen und Gefühle
erlangen menschliche Uferspuren.
Werden mitgerissen in einen Strudel –
der temporeich das schnelle Verurteilen bereithält.

Empörung – Trauer – Wut spielen
anonyme wie extreme Worttakte mit.
Doch wissen wir restlos so zügig - was wirklich geschah?
Stellen wir keine weiteren wichtigen Aufklärungsfragen?
Bei den gezeigten Absturzbildern -
wo pulverisierte Teile zu sehen sind…
Ja – eine Tragödie –
wo Menschen, Familie wie Freunde b e t r o f f e n sind.
Auf beiden Seiten eine Bürde aufgelegt
auch für das anrückende Morgen.
Es ist jedem Einzelnen überlassen, ob und wie schnell
er auf den Zug der Schuldzuweisung aufspringen will.
Können die Uhr nicht zurückdrehen,
nehmen wir die Chance wahr daraus zu lernen?
Sollten unsere Gedanken und Wünsche
nicht zuerst tröstlich und kraftspendend
an die jeweiligen Hinterbliebenen gehen?
Keine voreilige Nachrichtenflut,
sondern ein sachlich korrektes Endergebnis,
das nach dieser kurzen Zeit – ohne Untersuchungen
direkt vor Ort – nicht vollständig sein kann.
Indizienbeweise sollten weise komplett zur
Meinungsbildung vorhanden sein.
Überdacht und ohne neue Gefühlswogen zu schüren.
So werden neue verletzende Seelengepäckstücke
schwer aufgeladen auf die Schultern
und Familiengeschichten der Verunglückten.
Da wäre mir Geduld,
richtig zu Ende geführte Ergebnisrecherche, Verständnis
und überlegt verantwortungsbewusstes Agieren lieber…
Medial gesteuerter Hype von Schlagzeigen wie Empfindungen
finde ich wenig förderlich für dieses ernste Geschehnis.
Leid und Tränen die erfasst – gelebt – getröstet werden mögen
gilt es vorrangig empathisch mitzutragen.

Beate Loraine Bauer

Treffzeit

Vergangenheitsbilder wabern leise hoch –
wie graudichte Nebelschwaden im Herbst.
Erinnerungen vielfältige und
nicht alle bunt.
Gefühlsknöpfe gedrückt
aus alten Erfahrungsmustern.
Erlebnisse die keine Jetzt-Plattform erhalten.
Reflektionslichter heilten
stellenweise Verkrustungen aus.
Abgebrochene Kontaktfäden –
lose wehend im Seinswind.
Unerledigte Erkenntnisaufgaben
streben nach humanem Tageslicht.
Zeit zwischen Gestern – Heute und Morgen,
will Brücken bauen zwischen Licht und Schatten.
Liebevolle Vergebungs- wie Friedensblüten
beginnen säende Entfaltung zu finden.
Objektiveres Ruhe-Empfindungs-Gedankenglas
lässt los wie zu was begriffen gelebt.
Lassen ausgetreten Pfade zurück – begehen neue Wege.
Lächelnde Augenblickskostbarkeit
begegnen frisch respektvoll dem Du und Ich.
Hüllt es in einen neu sich entdeckenden
in Augenhöhe existenten Kokon –
wo Dialog – Vertrauen und
verändertes Kennen lernen beinhaltet ist.
Bewusst – intensiv – interessiert
offenbart Atemschöpfung
einen wunderbaren Lösungsregenbogen.
Zeigen authentisches Gesicht –
spricht Stimme deutlich.
Ist Akzeptanz rege Realität -
verfügt über gänzlich schöne Ereignisqualitäten.

Beate Loraine Bauer

WARTung

Wie oft ertappst du dich selbst
bewusst
dabei eine Erwartung zu haben?
An dich selbst?
Oder andere?
Auf was genau warten wir?
Was versprechen wir – wenn dann?

Sollten wir unsere Haltung
diesbezüglich
w a r t e n…
Überdenken – objektivere Begegnungsebene geben…

Wie gut tut uns dieser Zustand
des Wartens auf?
Erwartung ist ein feminines Wort.
Bedeutet es – das Männer keine Erwartungen haben…
Eine Spannung – ein spannen auf…
Vorausschauende Vermutung einer Sehnsuchtseinlösung…
Im Zustand wartender Hoffnung…
Erwartungshaltung zu spüren von anderen –
kann Druck erzeugen.
Schwere. Distanz schaffen.
Zuversicht verrauchen lassen –
wenn Ergebnis nicht eintrifft.

ErWARTung loslassen können –
bedeutet wieder liebevoll frei beweglich
im Lebensfluss zu sein.
Ohne Enttäuschungen – unnötig lange Wartungszeiten –
ohne Schulterballast.
Einfach leben – in Akzeptanz des
gesegneten Lebensflusses.

Beate Loraine Bauer

Aleppo

Aleppo – Stadt in Syrien…
Lautlos verhallt in der Welt
der Beschusshagel der Kinder wie Menschen
niedermetzelt.
Täglich Todesgefahr.
Täglich Angriffe und Munitionslärm.
Zerstörte Gebäude und Ruinen
ALLTAGSGESICHTER.
Dazwischen Blutspuren.
Atem einer Stadt der beängstigend röchelt.
Der kühle Sterbenswind bläst üppig
einsammelnd zwischen Straßen und Trümmer.
Hinweg über blanke
hoffnungslose Menschenseelenhaut.
Allein gelassen. Ausgesetzt. Sehnsüchte – Träume zerbrochen
im Innersten – außen Erlebnissplitter
die tiefe wortlose Wunden schneiden.
Bombardierte Humanwelt in
der Länder und Nationen kein Veto einlegen.
Diesen aktiven Wahnsinn stoppen.
Krieg jede Minute des Tages – Woche – Jahres.
Ein Schreckensszenario in denen Kinder geboren
und das Morgen nicht erleben werden.
Keine Freude – kein Lachen – kein Frieden –
normales Leben das Zufriedenheit und Glücksmomente
offenbart.
Dafür realer Horror der nach jedem Einzelnen greift.
Kalt im Würgegriff ANDERER.
Hass und Fanatismus sind
förderlichste Munition um
den Irrsinn zu steigern.
Sehen wir „Unbeteiligten“ verantwortungslos zu?
Fühlen wir uns nicht zuständig?
Oder ist es einfach zu weit weg?
Verdienen nicht auch diese Menschen FRIEDEN?!

Ist nicht jede Schlagzeile – Nachrichteninformation
eine zu viel…
Diese Gewalt – dieser unbarmherziger Krieg
erzeugt Wellen die uns erreichen werden.
Unsere Herzen – unsere Seelen – unsere Heimtüren…
Schweigen – zulassen – Deckmantel drüber stülpen
ist keine Option.
Humanität will vernünftiges Handeln – Entscheiden – WANDEL!
Damit Krankenhäuser helfen können –
Kinder ein geschütztes Wachsen erfahren dürfen –
Aleppo verträgliche NORMALITÄT als solche erleben kann.
Im Hier und Jetzt – mit friedfertiger Saat fürs Morgen.
Ruhe – Waffenlos – ohne zu beweinende Tote –
dafür intaktes SEIN.
Leben das Lebenswerte qualitativ begegnet
und Liebe die grenzenlose Flügel entfaltet
und kostbare Leichtigkeit schöpft.

Beate Loraine Bauer

Fehler-Updates

Auch – wenn ich mir oft sage,
diesen Fehler machst du nie wieder,
schleicht er auf leisen Sohlen mich erreichend hinterher.
Das Lebensrad getrieben von Sehnsüchten
– Liebe wie Situationen,
offeriert stetig neue Lernaufgaben.
Einige als extra Hausaufgabe fürs
mehrmalige Kenntnisüben in Auftrag gegeben.
Bläst der Erfahrungswind
kühl von vorn Mitten ins Gesicht.
Spüre Verletztheit im Inneren.
Spannt Traurigkeit weite Flügel auf.
Reichere ich das Seelenbuch
vielfältig mit Erlebnisblättern an.
Die eine oder andere Erkenntnis

erlangt regen Gegenwartsboden,
um in einer komplett anderen Variante
aufnahmefähige Trainingsflächen anzubieten.
Ups – tappe ich voll ins Fehlerfettnäpfchen direkt hinein.
Ohne große Umwege fehlt mir eventuell
noch eine komplettere Begrifflichkeit.
Mache Fehler die mich wie das Gegenüber betreffen – treffen.
Beginne dabei zu bewerten – urteilen –
eigene wie fremde Grenzen penibler zu ertasten.
Reflektion will Gesicht zeigen.
Der kleine flüsternde Mann im Ohr will stärker Einfluss nehmen.
Da gehe ich bewusst einen Schritt zurück –
Atme tief ein und aus.
Schöpfe Gelassenheit und das Wissen
das ich nicht perfekt sein muss.
Richtig und falsch nahe beieinander liegen können.
Befreie mich von alten Denk-Erfahrungs-Schablonen.
Wohin ist mein Herzblick gerichtet?
Was für Gefühle und Gedanken schwappen ans Tageslichtufer?
Was kann ich persönlich verändern? In welcher Qualität?
Welche Entscheidung will jetzt Daseinsleben gewinnen.
Ohne darauf zu hoffen,
dass die Ungerechtigkeitswaage Ausgleich findet.
Loslassen – was nicht MEINES ist.
Zulassen was ich selbst nicht ändern kann.
Wandle in mir mutig und authentisch den Eigenanteil
in gesunde Spurenchancen um.

Beate Loraine Bauer

Selbstbefragung

Das Leben erzählt von freudig gespannten Erlebnisbögen,
buntschattierten Erfahrungen
wie individuellen Träumen und Zielen.
Wege die Ecken und Kanten haben sowie Höhen und Tiefen.
Begegne Licht und Schatten -
Vergangenheitsbildern – Reflektionen
und Entscheidungsfelder.
Bin geformte Gegenwart
aus dem bewusst-unbewusstem Gestern,
tragend im Heute
geboren ins hoffentliche Morgen.
Verändere innere Sichtweise
durch Wahrnehmungen wie Erkenntnisperlen.
Stets entfaltend begleitet mich
das innere Kind –
welches Achtsamkeit und Liebe schöpfen will.
Bewahre die Sensibilität wie Menscheninteresse –
vertraue mehr in eigene Gaben wie Möglichkeitsflüsse.
Stehe verwurzelt wie ein wunderbarer Baumritter
inmitten meines Daseins –
und doch stelle ich mir Fragen.
Was ist Leben? Was macht es sinnvoll aus?
Bringen die vollzogenen Veränderungen
neuen Aktionismus oder klare Reaktionsworte
das Gegenüber in Nähe oder Distanz?
Öffne ich Vorurteilsschuladen?
Springe ich zu schnell an –
bei schon betätigten Erfahrungsknöpfen?
Kann ich ruhig und vernünftig eine Sache
aus verschiedenen Blickwinkeln betrachten?
Ist Verständnis eine deutliche Lebensspur
von mir zu dir – wie umgekehrt?
Muss ich Brückenbauerin, Aufdeckerin und Lösungsmacherin sein?
Sind Gedanken und Gefühle
weise Lotsen der atemreichen Entdeckungsreise?

Weiß ich um eigene Erwartungshaltungen wie Bedürfnisse?
Projektiere ich sie auf andere
oder erfülle eigenverantwortlich dieses Terrain?
Lebensbogenbücher beinhalten auch das letzte Blatt.
Sterben berechtigt dieses eine Sein gesegnet
zu akzeptieren – auszufüllen – zu bereichern –
das Seelen-Herz-Potenzial
einfließen zu lassen.
Ehrlich – mit wachen Augen und Nachdenken.
Will kein Gutmensch sein –
voller Harmoniesucht oder um jeden Preis.
Sich selbst treu zu sein und mit Rückgrat
fordert das ureigenste Hier und Jetzt heraus.
Wo stehe ich? Warum dort?
Was will kennen gelernt – erkannt – vergeben – geliebt –
losgelassen oder zugelassen werden?
Begreife ich auch im Alleinsein
von Entscheidungstreffen wie Handlungskraft
die darin liegende Chancenvielfalt?
Ich atme – ich bin.
Kann nicht jedem gefallen.
Sich selbst mit allem was einen ausmacht
anzunehmen – zu lieben – zu schätzen bedeutet viel.
Wird tagtäglich im tiefsten Inneren abgefragt
wie durch Außenweltstrukturen.
Erzeugt eine gewisse Unabhängig
von vergangenen benötigten Feedbackwolken.
Ich weiß, wer ich bin.
Weiß was ich kann und
das die Atemreise noch so viel
Entdeckungs-Entfaltungspotenzial bereit hält –
welches ich offen und dankbar
lebendig annehme.
Das Beste daraus mache.
Mit Herz – Seele – Verstand und
unendlicher Liebesquelle
die diese Welt heller und freundlicher mitgestaltet.
Alle Antworten liegen in uns selbst
als sternefunkelnde Schätze.

Beate Loraine Bauer

Eheschließungen für alle!

Wir leben in einer ach so hochtechnischen Welt –
bei makellos glänzenden Äußerlichkeitsveränderungen
sind wir, wie wir Bildern und Informationsstatistiken
entnehmen können, üppig dabei…
Doch unser Nasenhorizont wird sehr kleinkariert –
wenn es um Homosexualität geht.
Akzeptanz wie Toleranz – sind leider keine gesellschaftlich
aktiven Wegbegleiter!
Vorurteilsschubladen weit aufgerissen –
aus Unverständnis und dem Vorbehalt
sich authentisch mit dem Thema auseinander zu setzen.
Jeder von uns gestaltet also einen realen Grenzgraben mit.
Warum?
Menschen, die einander LIEBEN und bereit sind
ein Eheversprechen miteinander einzugehen
prellen ab an unserem Nicht-zulassen-wollen.
Sind wir wirklich Richter?
Was für eine Einstellung genau bringt uns in diese Rolle hinein?
Meinen wir besser zu sein? Wenn ja, warum?
Wieso schaffen wir im Hier und Jetzt
keine gesündere Basis – für ausnahmslos jeden Menschen?
Unabhängig von gleichgeschlechtlichen Partnerschaften!
Ansonsten verantworten wir mit,
dass wir durch unser Gemeinschaftshandeln
die betroffenen Individuen
in unterdrückte, verborgene und inakzeptable Nischen
vorsätzlich abdrängen.
Machtvoll. Nachhaltig.
Wo Atem, Menschlichkeit und Lebensqualität wie Freude
keinen friedlichen Nährboden finden können.
Ausruhend zufrieden –
das wir ja so augenscheinlich „normal“ sind…
Eine trügerisches Lebensgefühl
– welches uns nicht dazu erhebt –
eine solche Entscheidungslanze
über ein anderes Lebensmodul zu brechen.

Beate Loraine Bauer

GeFLÜCHTet

Ein kleines Hoffnungspäckchen
auf nackte Seelenhaut gemeißelt.
Entkommen kriegerischen Zuständen.
GeWALT als tagtägliche
G e g en w a r t s Hölle.
Im würgenden Schwitzkasten reiner
Hilflosigkeit.
Verletzte – Tote – Schüsse –
Szenarien die
wir aus bequemem Couchabstand via TV beiwohnen.
Blut fließt aus echten Wunden.
Kinder wachsen im dunklen
Labyrinth auf- doch wie?
Schleuserpiraten knöpfen
kaltblütig Habseligkeit ab.
Überladene Boote mit Menschen treiben
dem Untergang nahe
über tosende Meereswellen.
Nicht alle erreichen das für
sie gelobte Land.
Gevatter Tod ist gefräßig.
Traumatisierte Fremde im unbekannten Land.
Wo Frieden und Sicherheit
keine Fata Morgana sein sollen.
Wasserknappheit und dichte Notunterkünfte empfangen.
Zuversicht – Träume zerrinnen
wie dünenweise Sandkörner…
Platzen wie filigrane Luftballone.
Würde wie Respekt finden keinen Einlass.

Entwurzelte- ohne Stimmrechte.
Laute Parolen schmerzen,
treffen bereits gezeichnete Seelen.
Überleben befiehlt
neue Schauplätze ein.

Unsicherheiten – Unverständnis wie Sozialangst
formen Hetzwortpatronen.
Münder schießen –
wo Herzen sich verschließen.
In weiß-schwarze Abschottungs-Bewertung gekleidet.
Blind für das geprägte Leid flüchtender Menschen.
Angekommen…
Willkommen geheißen?
Menschlichkeit erfahren?
Im Heute ohne jegliche Zukunftsblickbegegnung.
Das wankend inhumane Gesellschaftskorsettboot
schnürt machtvoll
das skeletartige Schicksalsbündel anderer weg.
Zurück bleiben geplünderte Heimatböden –
waffenmanipulierte Krisenherde –
Hunger und leidvolle Erlebniswelten.
Wiederaufbau – Heilung – Vergebung
– hier wie dort –
FEHLANZEIGE!
Getriebene der wirtschaftlichen, politischen
wie finanziellen Zielsetzung
einzelner MachtBESESSENER.
Erzeugen bewusste Elends-Atemspuren
Generationen weit.
Verantwortung – Empathie – Hilfsbereitschaft
entrinnen ins Nirgendwo.
Wandeln zu gering ins aktiv handelnde Wir um.
Nähren neue ungesunde Übergriffspotenziale…
Ausweglosigkeit flüchtet – strandet an Menschenufern.
Muss das wirklich sein?

Beate Loraine Bauer

Paris und danach

November 2015

Die erschreckenden Nachrichten – Bilder –
Attentatszenerien – TOD –
haben uns wellenartig erreicht.
Gewalt ins fanatische Glaubenstuch gehüllt.
Für was ein Gott und Allah alles herhalten muss ...
Ob er wohl denkt, das sie die Bibel oder Koran
richtig lesen und verstehen sollten?
Oder stülpen sie einfach den Glaubensmantel
über ihre egoistischen Machtgelüste?
Sich gewissenlos über Menschen und Würde hinweg setzen.

Zuerst ist da Stille – voller Trauer und Betroffenheit erfüllt.
Einzelschicksale die für uns noch keine
Gesichter haben, dennoch starke Spuren gestalten.
Fußballzuschauer die gemeinsam langsam
singend aus dem Stadion aufrecht heraus gehen.
Diese berührende Intensität schreit still,
das Tränen Freiheit wollen.

Unser Herz schlägt anders.
Schneller vor Angst und Unsicherheit.
Beruhigt es sich zum Nachdenken und Atem holen.
L E B E N will es. Frei sein. Löst Starrheit auf.
Stolpert vor Zorn.
Strauchelt vor Verlusten.
Holpert vor dem Gedanken
das nun überall Anschläge möglich sind.
Schenkt Energie zum Vorwärtsgehen – Weitergehen.
Unser Herz schlägt anders.

Will sich nicht brachial in eine angstgeschnürte Rüstung
zwängen lassen.
Will einstehen für Freiheit – LIEBE – Frieden!

Zusammen.
All jene die direkt mit ihrem Herzen liebevoll
in Verbindung sind – gemeinsam
eine lichtvolle Herzvereinigung bilden.

Vom Terror nicht in die Knie zwingen lassen.
Angst in die Straßen und Zuhause einziehen lassen.
Dann hätten sie ihr Ziel bereits erreicht.
Wollen wir die Liebe – den Frieden – unsere Herzen beschützen?
Hand in Hand einstehen für die Welt in der wir leben –
die wir bejahend an die nächste Generation übergeben mögen!

Marko Ferst

Danziger Notizen

Noch immer verfolgen
mich die Vogelscheuchen
aus dem signierten Buch
vieles spielt in Langfuhr
wo mein Vater geboren
zu jung für jede Erinnerung

Von Prügelszenen
braunen Aufmärschen
und Sturmgeschützen
ist zuweilen abgründig
die Rede
neuere Quellen
erinnern fast zu spät
an den Weg der Frauen
in östliche Lager

Die *gehäuteten Zwiebeln*
gefielen mir besser
als *Hundejahre*
jene zu kräftig gewürzt
mit hyperfantastischem Strandgut
die *Vonne Endlichkait*
nun leider erfüllt
Druckseiten
noch auf meinem Leseplan

Zukünfte, Historie und Schächte
in welche Materniaden
werden wir hinabfahren?

Kein neuer Grass-Roman mehr
freilich immer noch
genügend Leselücken
aus dicken Wälzern

Danziger Gassen erkunden
unweit die Marienburg
offen eine Sommerreise
nach Kaschubien

Marko Ferst

Wegweiser

Besteht die Gefahr
gibt es Leute
die die Kirche nicht
im Dorf lassen wollen?

Wozu sonst sind überall
braune Wegweiser mit weißer Schrift
für die Dorfkirchen montiert worden?
Wie könnte man die
Kirchturmspitze im Dorf übersehen?

Vielleicht will man
das unchristlich abgefallene Volk
wieder in den Gottesdienst locken?
oder lag es doch nur daran,
daß sich die Schilderbauer
eine goldene Nase
verdienen wollten?

gesehen in Mecklenburg Vorpommern, 2009

Marko Ferst

Spitzbergen

Arche im ewigen Eis
so hoch über Null
das niemals Fluten
sie durchspülen

Pflanzen
Samen über Samen
soweit die Kisten reichen
für den Fall aller Fälle
gesammelt

Am Klimaruder ziehen wir
bis die letzten Sicherungen
ausklicken

Niemand weiß
ob nicht vielleicht doch
ein Irrer kommt
der mit roten Knöpfen
austestet

Doch wer wird finden
wenn sich verzogen hat
die apokalyptische Dynastie
wenn die neue Steinzeit
Einzug hält?

Es fehlen nicht nur
gängige Festplatten
die Netze der Zivilisation
Weizen, Gerste, Reis
so läßt sich der Hunger
vielleicht besiegen

Wo ist die Eis-Arche
für die Bäume, Gräser, Blumen
und all die Spuren
die fehlen werden
im Staubland?

Was wird sein
wenn das Grönlandeis
auseinander gleitet?
Wann fangen wir
an in Ostantarktika
Tunnel zu legen
am richtigen Platz?

Aber wer wird noch Schiffe führen
wenn alles niedergetrampelt ist
sich nur noch
versprengte Reste sammeln
wir in Erdlöchern wohnen?

Marko Ferst

Kirschen

Hoch oben hängen sie
man rechnet in Prozenten
nicht in Sicht ist die Ernte

Saftige Kirschenkost
und Steine spucken
Revolutionen sind unkalkulierbar

Manche Preise lassen
sich nie bezahlen
die Stare schnappen zu

Im Winter blühen
weiß nur die Träume

Marko Ferst

Helle Mondnacht:
60. Breitengrad

Gemauerter Balkon
über Ahorn- und Birkenschirmen
jetzt sichtbar
ganz voll, der Mond
zwischen zwei weißen Ziegeltürmen
behauste Quartiere
Drähte von Dach zu Dach
die ihn umgarnen
unter Blätterwogen
tief unten
der Pfad behellt

Hier duftet der Flieder
noch am Julianfang
Kronenspitzen, Blätter
Schattenspiele
an Zimmerwänden
Hände auf Haut
Küsse hinter Gardinen
einzelne Fenster halten vor
das Licht
bis die Nacht
erste Morgenstreifen empfängt

Sankt Petersburg, Juli 2017

Marko Ferst

Offene Sicht

Zu Tisch bitten die Gäste
unbekannte Gestade besuchen
Urteile zur Seite drängen
nicht zündeln mit
dem eigenen Unverständnis

Zwischen den Menschenwegen
tiefe Schluchten, dunkel
feindliche Grate umgehen
Botschaften entrüsten
geschliffenes Waffenarsenal

Aber nicht einladen
Wüsteneien auszubreiten
mit dreisten Worten
Kerben zu schlagen
Bewahrenswertes fleddern
dem Chaos die Hand überlassen

Marko Ferst

Meinungsfreiheit

Zu keiner Zeit
paßte den Herrschaften
wie lange wird man
noch sagen dürfen?
wer wird offen oder verdeckt?
es wird geschehen sein
sie dachten Geldgier
wäre wirklich demokratisch

Frei ist nur die Sucht
sich das Terrain zurückzuholen
die Speicher zu füllen
andere Meinungen stören nur
sie hatten das einfach
prinzipiell falsch verstanden
schon immer wollten wir nur
eine bestimmte Meinung
frei geben

Sind wir nicht vorgewarnt?
man stellt sich das besser
nicht so genau vor
sind wir nicht doch sicher?
immer diese vielen Grautöne
wozu überhaupt etwas zensieren
sagen wir überhaupt etwas
was sich noch lohnte
verboten zu werden?

Machtergreifung

Seine Stimme orgelt
in allen Registern
durch die türkischen Weiten
Riesenplakate preisen den Führer
Redakteure als Freiwild
ein Präsident auf Safari
serienweise Zeitungen eingesargt
alles auf treuen Staatsfunk geknebelt
unzählige Abgeordnete
hinter Schloß und Riegel
die Justiz verurteilt
zum Rattenschwanz
des Sonnensultans
osmanisch dekretiert er
im neuen weißen Prunk-Palast
tausend Zimmer zum Verirren
die ständige Ausnahme

Gepfefferte Worte
geschleudert in alle Richtungen
Injektionen der Angst
Gülen als Sündenbock
für eigene Fehlermetastasen
die türkische Lira
schmilzt weich dahin
nach den Höhenflügen
im Honigreich von Prozenten
Stahlbeton, Wohlstand und Fahrzeugblech
Speichen die stützen
beim islamischen Führerkult
und Aufmärsche
in roten Fahnen mit Mondstern
lauschen dem Einflüsterer
eine Mimose
jede kritische Notiz
entfacht eine Staatsaffäre

Klägliche Aktionen einiger Militärs
nur ein günstiges Stichwort
Dammbruch für den eigentlichen Putsch
frische autokratische Morgenluft
als machtloser Bittsteller das Parlament
gründlich sortierte Abgeordnete
austauschbare Spielfiguren
nur ein Fingerzeig des Zungenfertigen
die Gefängnisse platzen
aus allen Nähten

Als Schlußstein ein Spott darauf
für wie dumm man
das eigene Volk auf dem Lande
ein Referendum das niederreißt
letzte demokratische Planken
Haltelinie vor dem Abheben
ins Herrscher-Paradies
und doch die halbe Bevölkerung
gegen den Durchmarsch
wie gut wurde gezinkt
das Resultat mit irregulären
Stimmzetteln?
am Ende hinterhergeschmissen
noch den Parteivorsitz der AKP

Die Berliner Regierung
verfangen in geopolitischen Fallstricken
ungekündigten Flüchtlingsdeals
endlos weichgepinselt
jede Wortmeldung via Presse
all die Regierungsparteien
unkenntlich bis unsichtbar
haben plötzlich verlernt
was eine klare Ansage ist
und wie man sie
auf den Punkt adressiert
soviel überbordende Feigheit
läßt sich selten beobachten

auf freier politischer Wildbahn
niemand wagt es
von Sanktionen zu reden
für die obersten Fahnenträger
dieses türkischen Putschs
und überall dort
wo es richtig einschneidet

Manchmal werden Bögen überspannt
niemand kann vorhersagen
was auf den Trümmern
dieser autoritären Raserei
heranwächst
Erdogan beliefert
den Islamischen Staat mit Waffen
und nimmt ab die Kriegsbeute
wirft Bombenlast
auf Verbündete der USA
wenn da mal nicht
ein großes Kurdistan aufsteigt
die Grenzen des Orients neu vermißt
und ein Ende setzt
dem ewigen Bürgerkrieg
der Willkür aus Ankara

Marko Ferst

Ohne Namen

Der Herbst zieht durch die Lichter
wir selber sind uns nicht gewogen
die Spuren werden grell und schlichter
das Erdenrund bleibt uns entzogen

Spiegel zeigen längst vergangene Zeiten
die Wasser sind nicht unsere mehr
Triumphe verlieren sich in Weiten
Orte verlanden, bleiben nichts als leer

So sind die Tage noch ein Warten
heiter ringen wir um Nebensiege
die neuen Zeiten reißen ihre Scharten
Eden liegt noch immer an der Wiege

Ich darf nicht denken

Weites Land
das nach Weizen duftet
ich ahnte nicht
nie wieder werde ich
in deine Arme gleiten
deine Haut spüren
hast einfach so aufgegeben
mich und dich treiben lassen
Weizenwind
wohin soll ich loslassen?
gefangen von alten Träumen
heißer, langer Sommer
eine Kette aus Küssen
wollte ich dir
noch schenken
mein Atem hält an
knappe Luft
Feldrand

Marko Ferst

Flußdelta

Über unförmige Wasserrinnen
pfeilen Schwanenzüge
wie Herden ziehen
Wildgänse und Enten
zwischen Graureiherstelzen
grellroter Brandgansschnabel
im Okular
auf freigegebenem Flußgrund
Überbleibsel einer Raubtiermahlzeit
im Winter füllt sich das Delta
das Wasser erklimmt
die wenigen Pappeln und Weiden
Grasweiten mutieren
zum Fischdomizil

Marko Ferst

Wege hinüber

Leichter Küstennebel
weite Wasserflächen
ein Fahrweg führt hinein
Gummistiefel zwecklos
Koppelzäune teilen
untergegangene Wiesenflächen
inmitten Wasservögel
hinter dem Deich
Ostsee bis nach Schweden
nur Fährlinien verbinden

Wolga

Mitunter ohne Horizont
Meer wie Fluß
ausladende Breite
Inselflecken
von Zeit zu Zeit
frischer Fisch im Kutter
rostiges Metall
Lastschubkähne in Übergröße
waldbestückte Uferhänge
Passagiere
die am nächsten Halteponton
aussteigen
weiß und schnell
Tragflächenboote
irgendwo wird
eine Gans gerupft
für den nächsten Sonntag
Dörfer hier und da
Wiesenweiten
Heuschober

in der Nähe von Kasan

Marko Ferst

Immer im Herbst

Stundenlanger Sammeleifer
körbeweise mit Kinderhänden
am Ende gar Säcke
wenn Eltern und andere zugriffen
die neue Blickwelt hieß:
richtige oder falsche Baumkronen

Kastanien 25 Pfennig das Kilo
Eicheln gar 40 Pfennig
nur langsam füllten sie Gefäße
gar nicht abgeben
wollte man die Schätze

Die Früchte geschüttet
auf riesige Haufen beim Förster
gewogen wurde
seltenes Taschengeld
aus der Kassette gereicht
der alte große Handwagen
in manchem Herbst
zwei mal schwer beladen

Blick auf den Seddinsee

Kormorane verätzen
ihre Brutbäume
über Wasserflächen
findet die Seele Tiefe
zuweilen lasse ich hier
meine Blicke schweifen
meditiere mit der großen Natur
die Wälder sprechen zu mir
manchmal betteln
Stockenten um Brotkrumen
Eisenpfähle mit Schildern
Berliner Gründlichkeit
verschandelt die Landschaft
Trauerseeschwalbenschutz
im Winter blendet
der Schnee auf dem Eis
im Sommer stört noch abends
motorisierter Bootslärm
und doch bleibt der Kontakt
zu Winden, Sternen
und Sonnenglitzer

Max Schatz

Allein gegen das Milieu

Sonettenkranz

1

Gib auf, sonst wirst noch eines Tages siegen!
Du kannst die Welt verbessern, dich und mich,
selbst deinen Gott, der pantherartig schlich
aus weißem Tempel, wo sich Balken biegen.

Doch das Milieu, in dessen Netz sich wiegen
all off'ne Rechnungen als langer Strich,
all off'ne Türen und wie Gold verblich'-
ner Träumereien tote grüne Fliegen,

dies dein Milieu verändern kannst du nicht.
Du führst das Tagebuch der Anne Frank,
akribisch, abstinent, ein Schatten kriecht

vom Schreibtisch bis zum Sterbebett, jahrzehnte-
lang sind erkaltet/-kältet die Momente,
schreib dich für neunundvierzig Jahre krank!

2

Schreib dich für neunundvierzig Jahre krank,
solange man dich ködert mit der Rente!
Konsumwurm frisst sich bis zum letzten Cente,
obwohl das Münzchen einst im Klo versank

wie die Zutat Z in dem Zaubertrank,
der Freiheit dir verheißt, so oft erwähnte –
doch wer auf dies Rezept besitzt Patente?
Verschallen sie in welcher Datenbank?

Die Scheinzufriedenheit, sie drückt, sie würgt,
des Ungesagten Brechreiz schürt den Zank
der hundert Ichs, die deine Seele birgt.

Du suchst darunter dich, doch bloß Nachahmer
sich tummeln wild in diesem Viel-Akt-Drama,
als Aktenordner eh verwelkst im Schrank.

3

Als Aktenordner eh verwelkst im Schrank,
kaum stolzer als Toilettenpapierrolle,
die sinnlos frisch wie Neuschnee, zart wie Wolle,
mit Abreißblättern, welche bleiben blank.

Ein Schweigen schaffst du, so der hohlste Schwank
aus einem Plappermaul genießt die volle
Aufmerksamkeit; es suhlt sich in der Rolle
und fühlt sich nicht verpflichtet dir zu Dank.

Es scheint, in deinem ungelebten Ringen
verpasst du keuchend jede Art von Zügen,
und wenn doch nicht, bist ewig am Abspringen.

Gefesselt an den Selbstmord mit 'nem Schwur,
verherrlichst die Sofort-Makulatur,
sortiert, geheftet … voll gedruckt mit Lügen.

4

Sortiert, geheftet … voll gedruckt mit Lügen,
ist die Gesellschaft an sich kontrovers,
will rücksichtslos perfekt sein, wer pervers
das fremde Leid dahinstellt als Vergnügen.

Und jede Laus soll sich in sie einfügen,
sei's wie in heiligen Text Satans Vers,
beim Leichenschmaus den Sekt ja nicht invers
auf Esstisch von sich geben – leise würgen.

Im Kommen bleibt der alte Kommunist,
die Äcker gilt's gemeinsam umzupflügen.
Ergreif Partei! Zur Party komm! Und ist

das Komaackern nicht ein Ideal,
in dessen leer'nden Licht wirkt irreal
dein Kampf, dein Kapital an Worten klugen?

5

Dein Kampf, dein Kapital an Worten klugen
ging leider nicht mal durch als schizophren;
Bewerbereien selbst um den Job, den
sonst niemand will, sah man gleich Selbstbetrügen.

Die Nächte sprachen so zu dir, als schlügen
in deinen Ohren Uhren des Big Ben –
von keinem Schwein gehört, nicht in Top Ten,
die dazu da, sich damit zu begnügen.

Wann Biere schlichten Geist verdient umdünsten,
gewürzte Strömungen aus jeder Schank,
sich immer mehr entfernend von den Künsten,

will Abend mit der Peinlichkeit dich krönen,
dieselben scheinbar mit Elan zu frönen,
nur Kalk da mittropft aus dem Loch im Tank.

6

Nur Kalk, der mittropft aus dem Loch im Tank,
nur Schimmel, der mitblüht auf neuen Wänden,
nur Spam, den Freundemassen dir mitsenden,
nur Geldbeutel, der mit Diät wird schlank.

Nur Ehebeben mit des Hauses Wank,
nur Gräue, mitgekriegt auf Klinikstränden,
nur Konkurrenz, die mitläuft wegen Spenden,
nur Spießer, der bemitleidet den Punk.

Nur dieses so realitätsvernarrte,
zum reiner Dekoration Gerank
an einst 'ner Mauer dem Phantom erstarrte,

von wegen interaktionale Heute!
Obgleich zum Aas lässt werden treue Beute,
verstopfte Nasen trifft kaum sein Gestank.

7

Verstopfte Nasen trifft kaum ein Gestank
in Höhenluft des Andersseins, sie rümpfen
sich nicht, wenn tauchen auf knapp aus den Sümpfen
des Alltags. Schillernde Korallenbank

darin nicht findend, sich dein Haupt betrank
mit dieser dünnen Dichte, voll von Trümpfen
die Ärmel, während in Thrombosestrümpfen
die Beine, die – gleich, gleich! – erreicht der Drank.

Und sie? Respekt (gar Stolz?) vorzeigend, lachen
sie heimlich aus dein naseweises Fliegen,
Sieh! Unten warten aufgesperrte Rachen.

Die Krokodile seh'n dich gern zerfleischt,
als würde laut deine OP geheischt,
so oder so – sie werden dich schon kriegen!

8

So oder so – sie werden dich schon kriegen!
Die (Schreib)feder zum Reißen angespannt,
die Schlachtfelder sind alle überrannt,
und nur der Rückzug bliebe, wie von Kriegen,

so auch von Opfern, welche dort noch liegen,
ihr Nicht-krepieren-Wollen eingebrannt
in dein Gerissen-Werden und verbannt -
wie Maske ins Gesicht nach langem Schmiegen.

Dein letzter Trumpf: Triumph der Feinde. Sie
sind klar die Mehrheit, doch ihre Attacken
im Grunde Märchen ohne Fantasie.

Dorthin, wo die Geduld mit Früchten regnend,
als Kind ganzer Infanterie begegnend,
flieg auf mit deinen infantilsten Macken!

9

Flieg auf mit deinen infantilsten Macken
wie starken Schwächen! Prüder Datengeiz
und Abseitsregel – wo liegt da der Reiz?
Wenn nicht im Tragen umgestülpt Zwangsjacken!

„So steckt mich in Kloaken und Baracken,
ins Kloster … und bar jeglichen Geleits,
dort hinter Barrikaden bin bereits!
Musik? Wie rhythmisch die Gelenke knacken!

Schriftstellerei? Geritzte Haut. Und Kino –
mir meine Augeninnerei. Ein Fest
der Sinne steigt, da schwingt jedes Neutrino,

bis dass nicht alles Sein verkommt zu Sport."
Nun geh hier fort zu deinem wahren Hort!
Gleich einem Kiwi aus dem Kuckucksnest.

10

Gleich einem Kiwi aus dem Kuckucksnest
man geht dorthin, wohin gehört. Sie stutzen
ihr Baumaterial – die Zweige, putzen
ihr Schaumaterial – Gefieder, fest

und immer wieder weigern sich, mit'm Rest
von Happening den Happen zu beschmutzen,
wie oft den Lappen musstest du benutzen
beim Tappen hoch auf den Mount Everest!

Es ist vollbracht. Mach auf den Mund und … nies
es raus mitsamt den Schleichvererbung-Schlacken!
Kotz raus das Parasiten-Paradies!

Das, brüllend, buhlend, jetzt vor allem buhend,
brandstiftet – was vielleicht durchaus wohltuend –
die Missgunst in des Misanthropen Nacken.

11

Die Missgunst in des Misanthropen Nacken
wie Akupunkturnadel fast, du lullst
hier in der Schwüle dich, gleichwohl am Schwulst
der Ansprachen mit voll genomm'nen Backen:

„Oh Miss, Kunst hat dich wohl zu der gebacken,
du frisches Törtchen …" (Mit unschönem Wulst.
Zum siebten Male bald du schon so nullst.)
„… ein Fresko male mir mit Nagellacken!"

„Oh Mister, du dagegen bist liiert
mit der Literatur …" (Ist es Inzest?
Ein Monster, ähnlich dir, wurde kreiert.)

„… schreib mir bloß keine Fabel, sondern Fibel!"
Zu sagen bleibt: … letztendlich von der Fibel
selbst wenn du aufgespießt, bereits verwest.

12

Selbst wenn du, aufgespießt, bereits verwest,
dabei sein alles ist! Als Kopftrophäe,
auf der wie eine Krone prangt die Krähe –
erweist die Ehre dir der Doc der Pest.

Sein Schnabel und dein Schädel: Dicketest.
Ergebnis: Du liegst nicht mal in der Nähe
von dem, der sitzt und tut, als ob aufsähe
zu dem, der steht und steht auf dem Podest.

Und trotzdem willst dich setzen, feine Finger
gleich unters Kinn, um Kopf vor dem Einsacken
zu sichern stets aus Höhe … so geringer.

Die Intellektualität – der Show
nur weit're Varietät. Da floppt der Flow.
Steh auf, und sei's, die Sachen schnell zu packen!

13

Steh auf, und sei's, die Sachen schnell zu packen!
Die Stühle bleiben sauber aufgereiht,
das Schaben eines davon kaum entweiht
die Stimmung, sprühend seicht vor Schabernacken.

Enttäuschung will noch feiner dich zerhacken –
in Schaben, welche nicht mehr abgeseiht
durch Umwelt werden können, sie verzeiht
nur auf Papier ein Leben in Zickzacken.

Des Kopfes Kuppel, Baumwurzeln der Füße,
doch wo jetzt Nord und Ost und Süd und West?
Am Buß- und Bettag sind zu Bett die Busse

in Schwerelosigkeit, wo ein Milieu
gibt's gar nicht, denn gab's nur in dir. Adieu,
mein Freund! Ich sage niemand, dass du gehst.

14

Mein Freund, ich sage niemand, dass du gehst,
dem Schwur Folge zu leisten. Dich zur Gänze
ich streiche durch, und keine Trauerkränze
man bringt dir mit, im Tränenbach genässt …

Denn fühle ich, du bist noch in Arrest
auf dieser Welt! Verfließen deine Lenze
dem Band gleich, wo du stehst, treibst an die Grenze
den Körper, ohne Kopf, entleert, gestresst …

Das ist der echte Flow! Mag sein, die Fesseln
der Gene unverhofft sind sehr gediegen,
in Riegen Gleichgesinnter soll es kesseln!

Wenn kein Schweiß, auch kein Tod, die Weste weiß,
doch diesen wie auch den Proteste-Scheiß
gib auf, sonst wirst noch eines Tages siegen!

MEISTERSONETT

Gib auf, sonst wirst noch eines Tages siegen!
Schreib dich für neunundvierzig Jahre krank!
Als Aktenordner eh verwelkst im Schrank,
sortiert, geheftet … voll gedruckt mit Lügen.

Dein Kampf, dein Kapital an Worten klugen –
nur Kalk, der mittropft aus dem Loch im Tank,
verstopfte Nasen trifft kaum sein Gestank,
so oder so – sie werden dich schon kriegen!

Flieg auf mit deinen infantilsten Macken
gleich einem Kiwi aus dem Kuckucksnest,
die Missgunst in des Misanthropen Nacken!

Selbst wenn du, aufgespießt, bereits verwest,
steh auf, und sei's, die Sachen schnell zu packen!
Mein Freund, ich sage niemand, dass du gehst.

Guido Woller

Verdikt der Sozialisation

Wir schwebten
in einer schwarzen Blase.

Wir aßen Kernobst.
Es schmeckte viel süßer
als Gallenflüssigkeit!

Hohlorgane erledigten übermütig ihren Dienst.
Wir verbürgten uns
und verwandelten uns
in Steine aus Magnesia.

Serotonin und Phenylethylamin
tanzten einen halluzinogen-öligen Reigen.

Oxytocin und Vasopressin verbündeten sich
und führten zur Explosion,
die alles in großem Frieden
beendete.

...

Zwei Monde später
setzte sein Zerebrum
ungestüm eine Nadel ein.

Der Apfel schmecke jetzt bitter
gab er unüberzeugt und flüsternd an.
„Aber lass uns blutige Unterarme aufeinander pressen.“

Eduard Preis und M. Krüger

Klagelied eines leeren Blattes

Weiß springe ich dir entgegen,
mit schreienden Worten, die sich nicht hören lassen.
Schweigend nehme ich dies hin,
denn nicht eine Sprache schenkt mir ihre Poesie,
welche ich doch so oft in und an dir lieb‘.
Würde dich nichts bedrücken, schriebst du kein Gedicht;
verfällst in unvergessbare Amnesie!

Wieso lässt du mich nicht daran teilhaben?
Deine Sorge vollends bewältigen, lindern lassen?
Wie lässt sich so etwas in Worte fassen?
Zerbrichst dir den Kopf wegen einer Blockade
– als sei es nicht genug!
Was bleibt? Ist‘s Lug? Ist‘s Trug?

Es lässt sich nicht bestimmen – doch eines steht fest:
Das Klagelied verstummt, die Worte beginnen zu flüstern.
Deine Sorge verblasst, die Poesie beginnt zu singen.
Das Wort wird nicht verklingen.

Eduard Preis

Wasserschliere

Ich verliere den Blick, fokussiere
- versiere - nicht mehr die Stadt.
Da die Tropfen ziehen an meinem Fenster entlang.
Freilich, wie sie gegen
und doch miteinander so wundersam rangen.
Der eine wollte den anderen fangen
und doch konnte keiner das ziellose Ziel erlangen.
Manch einer gewann
aber auch indem er den anderen verschlang
und im Sonnenlichte zu einzelnen Tropfen zerschwand.

Eduard Preis

Honigpferdkuchen I

Honigpferdkuchen.

honig, Honig, HOnig, HONig, HONIg, HONIG,
hONIG, hoNIG, honIG, honiG, honig.

pferd, Pferd, PFerd, PFErd, PFERd, PFERD,
pFERD, pfERD, pfeRD, pferD, pferd.

kuchen, Kuchen, KUchen, KUChen, KUCHen, KUCHEn,
KUCHEN, kUCHEN, kuCHEN, kuchEN, kucheN, kuchen.

Honigpferdkuchen.

Eduard Preis

Honigpferdkuchen II

Eine Herde Pferde, die hin und her gucken, ruhen im Dorf.

Dort ein Nerd, der Gerd.
Er redet gerne.
Hier:
- die Erde.
- Der Honig und Rum.
Honigrum?
- Ein Kuchen!
Rumkuchen? Honigkuchen?
- Ein Pferd.
Rumkuchenpferd?! Honigkuchenpferd!?

- Ein Hund und Dung.
Du und Ich.
Ist es eine Ordnung, ist es ein Ring.
Eine Kunde, ein Ding?

Nein, ist es Honigpferdkuchen!?!

Eduard Preis

Danke

So leicht fällt uns das Wort
- verliert dadurch jedoch etwas besonderes.
So schwer fällt uns das Wort
- wenn es am meisten dringt Not.

„Danke!"
„Wofür", frage ich dich.

Für nichts brauchst du dich zu bedanken,
denn ich setze doch selbst die Schranken,
wann und wofür ich will annehmen und geben ein „Danken".

Manche machen sich zu viele,
andere zu wenige Gedanken über jenes „Danken".
Doch ein wahres „Danken"
kann nichts bringen ins Schwanken.
Den es ist so tief im Herzen verankert.

Ja, es ist mit der Freiheit verheiratet.
Denn es ist an nichts als das seinige Sein gebunden
- freier als ein Gedanke, der in einem bestünde,
ohne jegliche Gründe.

Diese seltene Stunde in der ich verkünde - dich „Dank".

„Wofür" - die Frage besteht.
Die ewige Antwort, die nie vergeht.
Weil dich jemand liebt ...
„Weil es dich gibt!"

Eduard Preis

Spreche auf so viele Arten und Weisen
- zu dir -
- zu euch -
- zu mir.
Mal laut mal leise.
Mal auch in mir.
Oft schicke ich sie auf Reisen.

Egal ob nun das Bitten oder das leise Weinen.
Egal ob nun das Beten, Betteln, Flehen
oder gar Gestehen.
Egal ob nun ein Fluch oder gar die Verdammnis.

Es wird erhört, gesehen, verstanden,
- beantwortet -
- bin ich nun Weise.

Verstehe ich mich, durch das eigne Schweigen
oder spielen hier nur determinierte Geigen.
Wer wird mir den Weg wohl zeigen.

Der Glaube - für einen jeden etwas Eigenes.

Eduard Preis

Die Zuhörerin

Gebannt umschließen sie die Worte.
Verschwunden ist sie in der schönen Welt.
Hinfortgerissen - nicht verloren, am Verfolgen ist sie euch.

Gespannt lauscht sie der Erzählung.
Ganz egal ob Wahrheit oder Fiktion.
Allein die Narration - der Klang, das Gefühl, die Emotion.

Sie ersetzt nicht nur die Sphäre
zwischen mir und meinem Ich.
Sie ist da, sie spricht,
sie denkt, sie widerspricht - so nicht!
Und so spricht!
- ein jeder nicht mehr nur für sich.

Eduard Preis

Vorfreude

Unbekanntes - Neues sehen.
Hoffentlich etwas erleben.
Unbegreifliches - verstehen.
Dieses innere Begehren.

Gegen das man sich nicht kann wehren.
Will davon zehren, will es mehren.
Die Phantasie wird dich gebären.
Doch die Zeit wird dich verzehren.

Phantasien leben!

Tim Rudolph

Klebspuren der Einheit

Die nächtlichen Straßen sind lang, endlos
folgen Kurven der Spiegelung des gelben Lichts, im Regen
sterben Mädchen mit dem Luftballon, in der Hand
legen sich die Splitter nieder.
Ohne Wände wütet der Sturm vor der Tür.
Keiner scheint berührt.
Trocken aus dem Meer
werden die Wellen, immer kleiner
scheinen die Klebspuren der Einheit.
Das Verklingen des Tons ist dem Sender, nicht verschuldet
ist das Wesen der Musik.
Der Adler geht in den Sturzflug,
sein Ziel hat er noch nicht, gefunden
haben wir uns auf einer Ebene,
ganz unten.

Tim Rudolph

Kraftwurzel

Geburt ist der Zeiger der Unendlichkeit,
die Mutter der treue Pfleger.
Hat sich viel getrennt und vereint
in der Ordnung der Gemeinsamkeit.
Ab wann berührt der Vogel den Himmel,
der Richtung Sonne fliegt,
wie ein Fisch, der im Meer nach Nahrung sucht?
Der Zug geht nicht aufs Gleis, wie die Kugel in jeden Kern.
Dämonen haben Platz zu schlafen,
wie die Vielfalt der Einheit entgraben.
Vielfalt ist zum Leben nötig.
Töricht,
ist sich ihr anzunehmen
ohne die Einheit zu ehren.
Für unser Überleben.

Inhalt

Autorinnen und Autoren stellen vor:

Beate Loraine Bauer u.v.a.: Zeit für Freunde. Gedichte, 264 Seiten, Dorante Edition, 2014, 15,60 €

Andreas Erdmann, Marko Ferst, Monika Jarju u.v.a: Die Ostroute. Erzählungen, 256 Seiten, Edition Zeitsprung, Berlin 2014,16,90 €

Marko Ferst: Jahre im September. Gedichte und Erzählungen, 212 Seiten, Edition Zeitsprung, 2017, 11,90 €
Marko Ferst: Umstellt. Sich umstellen. Politische, ökologische und spirituelle Gedichte, 160 Seiten, Engelsdorfer Verlag, Berlin 2005, 11,20 €
Marko Ferst: Republik der Falschspieler. Gedichte, 172 Seiten, Engelsdorfer Verlag, 2007, 11,60 €
Marko Ferst: Täuschungsmanöver Atomausstieg? Über die GAU-Gefahr, Terrorrisiken und die Endlagerung, 136 Seiten, Edition Zeitsprung, Berlin 2007, 9,95 €
Marko Ferst, Franz Alt, Rudolf Bahro: Wege zur ökologischen Zeitenwende. Reformalternativen und Visionen für ein zukunftsfähiges Kultursystem, 340 Seiten, Edition Zeitsprung, Berlin 2002, 21,90 €
Marko Ferst, Rainer Funk, Burkhard Bierhoff u. a.; Erich Fromm als Vordenker. „Haben oder Sein" im Zeitalter der ökologischen Krise, 224 Seiten, Edition Zeitsprung, Berlin 2002, 15,90 €
Leseproben und Bestellung: www.umweltdebatte.de

Giovanna Leinung u.v.a.: Der Ursprungsplanet. Science-Fiction-Erzählungen, Dystopien und Visionen, 284 Seiten, Dorante Edition, 2018, 15,90 €

Ellen Philipp: Natürlich Gereimt. Gedichte, 64 Seiten, Pro BUSINESS, 2017, 8,50 €
Ellen Philipp: Mein kleiner Gedichtband. Gedichte, 54 Seiten, Zwiebelzwerg Verlag, 2017, 9,50 €

Eduard Preis u.v.a.: Zum Klostergarten. Gedichte, 244 Seiten, Dorante Edition, 2017, 13,50 €

Die Windrichtung ändern

Gedichte

Manfred Burba

188 Seiten, 2017

Auf der Suche nach dem treffenden Reim, öffnet sich Manfred Burba immer wieder für neue Ideen, Gedankengänge, verknüpft tiefe Lebenserfahrungen mit originellen Zeilen. Er plädiert dafür, den Spuren des Unbewussten zu folgen. Der Humor kommt dabei nicht zu kurz. Naturgedichte rufen Maienlandschaften auf oder führen durch den Grunewald. Das Lied vom sauren Regen erklingt. Ein nächtlicher Hafen wird angesteuert oder die Ruhe im Strandkorb gestört. Der Tisch seiner Kindheit ersteht wieder auf. Erich Kästner gehört zu seinen Vorbildern, über die Poetik des Dichters sinnt er nach. Mozarts musikalische Geheimnisse geben Rätsel auf. Von einer Flucht aus Venedig berichtet ein Gedicht, ein anderes von Hexenverbrennungen in Würzburg. Hommagen für Erich Fried, Heinrich Heine und Wilhelm Busch lassen sich finden. Aspekte der Gesellschaft, Geschichte, Politik, Wissenschaft und der Religion treten gereimt ins Rampenlicht. Dramatische Ereignisse aus den letzten Kriegstagen werden lebendig und ein Vernichtungslager der Nazis kommt ins Blickfeld. Von der menschlichen Katastrophe in Aleppo ist die Rede und von anderen politisch aktuellen Problemen. Der Band umfasst die Gedichte aus den letzten vier Jahrzehnten des Autors.

Leseproben, Inhaltsverzeichnis: www.literaturpodium.de

lyrik leiselaut

Hanne Strack

140 Seiten, 2018

Aus dem Gegensatz leise – laut wird in der Lyrik von Hanne Strack eine Einheit. Leise die Töne in einfacher, klarer Sprache, laut deren Wirkung. Durch scheinbar gleiche Worte am Anfang und Ende entsteht bei vielen Gedichten ein Rahmen, der diesen Gegensatz zusammenführt. Aus dem leisen „wie sonst“, wenn es um Überlebenstraining geht, wird ein lauter Klang am Ende, „klar, wie sonst!“ Die leisen Töne machen die Musik für die Themen, die berühren und unter die Haut gehen.
Eine große Bandbreite von Inhalten kommt zur Sprache, ohne falsche Verklärung, kritisch auf den Punkt gebracht. So „fragil wie der Tanz auf dem Seil“ wird Leben dargestellt, während in der „Ballade Amerika“ die Geschichte einer ganzen Generation vorüberzieht.
„Ich hab`am Küchentisch geweint“, ein Aufschrei der Hilflosigkeit, ein Zugeben der Machtlosigkeit. Nicht Aktionismus, sondern Innehalten und Nachdenken sind Thema. Welche Wege versprechen Hoffnung? In leise Worte zu fassen, was viele Menschen berührt, ohne große Töne zu spucken und trotzdem laut gehört zu werden, ist in lyrik – leiselaut gelungen.

Leseproben, Inhaltsverzeichnis: www.literaturpodium.de

Schattenspiel der Berge

Gedichte

Helmut Glatz, Martin Westenberger,
Manfred Burba u.v.a.

344 Seiten, 2017

Der Band streift durch Wörterwälder, der Brocken wird bestiegen, eine Schwarzwaldwanderung kommt in den Blick. Kirschblüten leuchten im Sonnenlicht. Was erzählt uns der Gesang der Wale – eine überraschende Antwort gibt es darauf. Eine Flaschenpost ist auf dem Weg. Vom Kinderkreuzzug wird berichtet, niemand kehrt zurück. Die Gewaltorgie, die der türkische Präsident in seinem Land veranstaltet, gerät in scharfe Kritik. Die planerischen Meisterleistungen für den Berliner Flughafen werden mit stillem Spott bedacht. Warum wohnt man im Hamburg, was macht die Stadt liebenswert? Die eigentümliche Form der Schollen führt zu Gedankenspielen. Kennen Sie schon den Yamdrock-See in Tibet? Das Mozartmeer rauscht im Ton zivilisatorischer Abgründe. Berichte von der Walpurgisnacht sind zu erwarten. Und immer wieder ziehen Gedichte durch Berglandschaften. Das ist ein Schwerpunkt dieses Bandes.

Leseproben, Inhaltsverzeichnis: www.literaturpodium.de

Seltenes spüren

Gedichte

**Ulrich Grasnick, Elisabeth Hackel, Günter Kunert,
Marko Ferst, Dorothee Arndt, Charlotte Grasnick u.v.a.**

268 Seiten, 2014

Erleben Sie den Inkafrühling in Peru. Versunkenen ägyptischen Schätzen wird nachgespürt. Monets Garten lädt ein und dem Duft einer französischen Bäckerei folgt ein Gedicht. Der Berliner Dom spiegelt sich nicht mehr im Palast. Zahlreiche surreale Gedichte enthält der Band, vereinzelt auch gereimte. Ein Besuch bei Heine steht an, versteckt liegt sein Denkmal. Den Szenarien der Krieger geht ein Lyriker auf den Grund, von weidwundem Land berichtet ein Gedicht für die Erde. Letzte Bienenwagen kommen in den Blick, Ausflüge führen ins Känguruland. Die Sonnenpost läßt uns Entfernungen vergessen. Der vorliegende Band ist eine Gedichtsammlung des Köpenicker Lyrikseminars und der Lesebühne der Kulturen Adlershof. Gäste wurden eingeladen. Grafiken von Dorothee Arndt illustrieren den Band. Das Lyrikseminar existiert seit 1975 und publizierte bereits mehrere Anthologien.

Leseproben: www.umweltdebatte.de
Bestellung: marko@ferst.de (dt. Porto frei)

Jahre im September

Gedichte und Erzählungen

Marko Ferst

Jahre im September

Gedichte und Erzählungen

Marko Ferst

212 Seiten, Edition Zeitsprung, 2017

Über Ostseeinseln wie Öland und Usedom streifen die Gedichte. Sie führen in die schwedische Schärenstadt sowie nach Buchara, Samarkand oder in den Ural. Magische Ausflüge in die Natur und Tierwelt tauchen auf. Gedichte zu Musik, Literatur und Malerei reichern diesen Lyrikband an. Unter die Lupe genommen wird der Drang der Regierenden, uns mehr und mehr auszuspionieren. Kritik zieht das gescheiterte Afghanistan-Abenteuer auf sich, das syrische Totenfeld wird umrissen. In Bangladesch zeichnen sich weitere Landnahmen des Meeres ab, Wasserstände, die mit unserem verschwenderischen Lebensstil im Norden verbunden sind. Sondiert wird, warum unsere Zivilisation ökologisch zu scheitern droht, sich längst im Spätstadium befindet. In der Arktis zeigt sich, wie weit das Vorspiel zum Klimaumsturz schon gediehen ist. Spitzbergen archiviert unsere letzten genetischen Hoffnungen. Den Spuren und Abgründen einer mysteriösen Krankheit wird nachgegangen. Der Band enthält zwei Erzählungen - eine arktische Begegnung zwischen weißen Raubtieren und einen Blick in das sowjetische Speziallager Sachsenhausen.

Leseproben: www.umweltdebatte.de Bestellung: marko@ferst.de

Anmerkungen zum Sonnenstand

Gedichte

Martin Westenberger

100 Seiten, 2018

Direkt und teilweise ruppig, immer aber authentisch und aus dem Leben gegriffen geht es in den Gedichten von Martin Westenberger zu. In seiner neuesten Sammlung „Anmerkungen zum Sonnenstand" taucht er in ein großstädtisches Milieu ein, das uns alle angeht, und formt lyrische Bilder, denen man sich als Leser nicht entziehen kann.

Rainer Vollmar

Martin Westenberger studierte Germanistik, Kunsterziehung und Soziologie. Während seines Studiums arbeitete er u.a. als Roadie, Filmvorführer und Taxifahrer. Seit vielen Jahren ist er als Disponent in der Filmbranche beschäftigt. Lebt in Frankfurt am Main.

Leseproben, Kontakt: www.martinwestenberger.com

Lightning Source UK Ltd.
Milton Keynes UK
UKHW040842070219
336896UK00001B/167/P